Horst Schetelig

Entscheidend sind die ersten Lebensjahre

Horst Schetelig

Entscheidend sind die ersten Lebensjahre

Vorbeugende Erziehung zur seelischen Gesundheit

Herder Freiburg · Basel · Wien

Umschlagbild: © BAVARIA

Überarbeitete und aktualisierte Neuausgabe des in sechs Auflagen erschienenen Herder-Taschenbuchs Nr. 768

Herstellung: Freiburger Graphische Betriebe 1993
ISBN 3-451-22811-4

Für Benedikt, Nicolas und Daniel

Inhalt

Vorwort von Christa Meves 9

Vorwort von Prof. Dr. Dr. h.c. Th. Hellbrügge 11

Einleitung 13
Schwangerschaft und Geburt 14
Rooming-in und Wochenbett 18
Stillen fördert die Kindesentwicklung 25
Sorgen um das Frühgeborene 33
Schreienlassen oder nicht? 39
Tragen und Wiegen 42
Zwischen Krippe und Konsum 45
Fremdeln – ein wichtiger Meilenstein der Entwicklung . 51
Selbstverwirklichung – zu Hause oder im Beruf? 54
Gewöhnung zur Sauberkeit 62
Liebe und Konsequenz 67
Ausdauer und Durchhaltefähigkeit 73
Hilfen zur Selbständigkeit 78
Rhythmus und Regelmäßigkeit 83
Mit Freude in den Kindergarten 87
Vom Trotz zur eigenen Meinung 93
Besuch mich bitte jeden Tag! 100
Kinder brauchen Väter! 106
Streitende Brüder 110
Videos als Babysitter? 114
Märchen helfen erziehen 119
Sexualität und Aufklärung 122
Harmonie in der Ehe 127
Psychotherapieferien 134

Anhang 137

Literatur 139

Vorwort

Ein Psychologe sein und dabei ein brauchbares Buch über die Pädagogik eines Kleinkindes zu schreiben – das ist keine Selbstverständlichkeit. Das vorliegende Buch macht von der faktischen Unbrauchbarkeit mancher Literatur über Kinderpsychologie eine rühmenswerte Ausnahme. Man spürt das vom ersten bis zum letzten Kapitel. Dieses Buch will jungen Eltern plausiblen Rat und lebensnahe Hilfe im Umgang mit ihren Kindern geben – offensichtlich nicht, um die Flut der Erziehungsbücher um einen weiteren Rezeptgeber zu vermehren, sondern auf dem Boden einer psychologischen Erkenntnis, die den Wissenschaftler alarmiert hat: Dr. Horst Schetelig, im Kinderzentrum München bei Prof. Hellbrügge als Klinischer Psychologe an der „Basis" ausgebildet, seit mehreren Jahren als Leitender Psychotherapeut eines Kinderkrankenhauses und mit einem eigenen Konzept der „Psychotherapieferien" auf Norderney tätig, hat in seinem Alltag die Erfahrung bestätigt gefunden, wie entscheidend die Erlebnisse des Kindes in den ersten Lebensjahren für die Charakterentwicklung des späteren Erwachsenen sind, wieviel Leid und Unglück sich vermeiden läßt, wenn die Pflegenden und Erziehenden die Entfaltungsbedingungen des Menschen zu beachten gelernt haben, statt dumm so zu tun, als könnte jeder mit seinem Kind nach eigenem Ermessen machen, was ihm gerade beliebe. Der Autor wagt es, auszubrechen und die sozialistischen Ideologien, die jahrzehntelang selbst mitten in der psychologischen Wissenschaft vorherrschten, abzustreifen und eine Pädagogik der realitätsgerechten Angemessenheit zu entwickeln. Dieses Buch wird mithelfen, Verstiegenheit abzuschütteln und die den Eltern brennend notwendige Hilfe im Umgang mit ihren Kindern zu vermitteln.

Christa Meves

Vorwort

Erziehung, in der Öffentlichkeit immer noch als eine Aufgabe in erster Linie von Fachkräften in der Schule gesehen, stellt sich vom kinderärztlichen und kinderpsychologischen Standpunkt aus mehr und mehr als ein Problem der ersten Kinderjahre, insbesondere einer gestandenen Mutter-Kind-Beziehung dar. Die Auseinandersetzung um die Bedeutung der ersten Kinderjahre für die spätere Entwicklung des Kindes ist international in Fachkreisen längst so anerkannt, daß es darüber keine Diskussion mehr gibt. Auch wenn es mancher Fachmann der Pädagogik nicht wahrhaben will, die entscheidenden Weichen für die spätere Lebenstüchtigkeit werden nicht in der Schule, nicht in einer akademischen Laufbahn, sondern allein in der Kinderstube gelegt. Dabei schält sich als die entscheidende Lebenszeit gerade das erste Lebensjahr heraus.

Mein früherer Mitarbeiter, der Psychotherapeut Dr. Horst Schetelig, hat alle Probleme, die derzeitig für Mutter und Kind in den ersten Lebensjahren von Bedeutung sind, in einer übersichtlichen, kleinen Monographie für junge Familien zusammengestellt. Dabei ist er gerade auch auf jene Detailfragen eingegangen, die den Tagesablauf in der Pflege und Erziehung des Säuglings und Kleinkindes vielfältig belasten können.

Die Schrift sieht – und dies ist ihr großer Vorzug – die Familie als Einheit. Die Rolle des Vaters, die streitenden Geschwister, die Konsequenz in der Erziehung bis hin zu den erregenden Fragen „Soll der Säugling weiterschreien oder nicht" sind die Details, die die frühe Erziehung be- oder entlasten können. Ganz besonders hervorzuheben ist aber sein berechtigtes Eintreten gegen die Diskriminierung der Hausfrau und Mutter. Wenn es uns gelingt, die kulturelle Bedeutung unserer Mütter nicht nur für die Erziehung ihrer Kinder, sondern für die Erziehung des ganzen Volkes wieder ins rechte Licht zu stellen, werden wir wieder ein kinderfreundliches Volk werden und damit überleben.

So wünsche ich diesem Büchlein eine weite Verbreitung.

Prof. Dr.Dr.h.c. Th. Hellbrügge

Vorstand des Instituts für Soziale Pädiatrie und Jugendmedizin der Universität München und Direktor des Kinderzentrums München

Einleitung

Leider noch immer wird die Bedeutung der ersten Jahre im Leben eines Kindes unterschätzt. In diesem Entwicklungsabschnitt werden Auffälligkeiten und Störungen allzu leicht übersehen oder auch in der Hoffnung verharmlost, daß diese unerwünschten Notsignale wieder von selbst verschwinden bzw. sich „zurechtwachsen". Zwar können seelische Störungen durchaus in einigen Fällen von alleine heilen; groß ist jedoch die Gefahr, daß Auffälligkeiten nicht weniger werden, Eltern sich aber daran gewöhnen. Man faßt diese Störungen dann nicht mehr auf als zur Hilfe mahnende Notsignale des Kindes, sondern tut sie allzu leicht als „dumme Gewohnheiten" ab, die man seinem Kinde später noch abzugewöhnen hofft.

Frühsymptome nicht zu beachten beinhaltet immer eine mögliche Gefährdung der seelischen Entwicklung von Kindern in Form von bereits wenige Jahre später einsetzenden Verhaltensstörungen und Schulschwierigkeiten, welche die weitere Entwicklung bis hinein ins Erwachsenenalter beeinträchtigen können.

Um so wichtiger ist es, die Voraussetzungen, Erfordernisse und Vorbedingungen für eine seelisch gesunde Entwicklung und ein harmonisches Heranwachsen unserer Kinder zu kennen, um möglichen Fehlentwicklungen von Anfang an entgegenwirken zu können. Die vorausschauende Vor-Sorge und das Wissen um Entwicklungsbedingungen von Säuglingen und Kleinkindern hilft, Fehler in der Entwicklung zu vermeiden. Hierzu will dieser Band einen Beitrag leisten.

Schwangerschaft und Geburt

Man muß wirken auf das,
was noch nicht da ist;
man muß ordnen,
was noch nicht in Verwirrung ist.
Laotse

Wenn eine Mutter ein Kind erwartet, überlegt sie in der Regel bereits während der Schwangerschaft, was sie alles für die gesunde Entwicklung ihres noch ungeborenen Kindes tun kann. Hierzu gehören nicht nur die regelmäßigen Vorsorgeuntersuchungen beim Frauenarzt, sondern z. B. auch ein Einschränken bzw. Vermeiden von Zigaretten- und Alkoholkonsum. Die regelmäßige Schwangerschaftsgymnastik hilft darüberhinaus, die Geburt weniger anstrengend verlaufen zu lassen. Die werdende Mutter bemüht sich, alle für die körperliche Reifung ihres Kindes und die Entbindung medizinisch wichtigen Faktoren zu berücksichtigen.

Aber auch immer mehr Väter machen sich darüber Gedanken, wie am besten beide die Zeit der Schwangerschaft in bewußter Verantwortung für das heranwachsende Kind gestalten können. „Ein Vater kann nichts Besseres für sein Kind tun, als dessen Mutter zu lieben", schreibt *Ingrid Trobisch* in ihrem Buch „Mit Freuden Frau sein ... und was der Mann dazu tun kann", und meint dabei nicht erst die Zeit nach der Geburt, sondern auch die Zeit der Schwangerschaft von Anfang an. Wie wichtig diese nicht nur tätig helfende und Arbeit abnehmende, sondern besonders auch seelisch-geistige Unterstützung und Achtung der werdenden Mutter bereits in den Monaten der Schwangerschaft ist, belegen auch Untersuchungen, die Auswirkungen seelischer Belastungen der Mutter während der Schwangerschaft auf die spätere Entwicklung des Kindes eindeutig nachweisen konnten [71, 75]. Diese heute mit wissenschaftlichen Methoden abgesicherte Erkenntnisse waren jedoch schon etwa 350 Jahre vor Christus bekannt. So schreibt bereits *Aristoteles*: „Schwangere Frauen müssen für ihren Körper Sorge tragen. Ihr Gemüt aber sollen sie frei halten von Sorgen, denn das werdende Kind nimmt Vieles von der tragenden Mutter an, wie die Pflanze von dem Erdreich, in dem sie wurzelt."

Die Schwangerschaft ist also nicht nur eine Angelegenheit der werdenden Mutter und schon gar nicht eine allein auf körperliche Veränderungen reduzierbare „Sache der Frau". Das verständnisvolle Bemühen auch des *Vaters* ist für die Mutter so wichtig, damit sie möglichst unbeschwert und ohne Belastung der Zeit der Entbindung und des Wochenbetts entgegensehen kann. Gemeinsame Überlegungen vorausschauenden Planens sollten auch bereits jetzt bewußt den Verlauf der Geburt und die erste Zeit danach mit einschließen. Das beinhaltet abzuwägen, ob z. B. der Ehemann bei der Entbindung anwesend sein sollte, ob in der Klinik eine Möglichkeit zum Rooming-in besteht, inwieweit dem Wunsch entsprochen werden kann, das Neugeborene bereits unmittelbar nach der Entbindung bei der Mutter zu belassen, ob der Säugling mit der Flasche ernährt werden soll oder die Mutter ihr Kind lieber stillen möchte.

Es hat sich bewährt und ist empfehlenswert, diese Fragen nicht erst im Krankenhaus, sondern – soweit möglich – bereits vorher zu besprechen und zu entscheiden! Nur so lassen sich Enttäuschungen vermeiden, weil z. B. der die Entbindung leitende Arzt die Mutter bereits unmittelbar nach der Geburt medikamentös abstillt, in gutem Glauben und der festen Annahme, daß das vermeintlich altmodische und angeblich überholte Stillen der jungen Frau möglicherweise doch zu beschwerlich sei. Die werdende Mutter sollte sich nicht scheuen, die von ihr angestrebte Art und Weise der Geburt mit ihrem Arzt genau zu besprechen, um gemeinsam die optimalen Bedingungen für sich und ihr Kind herauszufinden. Hierbei sollten insbesondere Vereinbarungen für folgende Fragen getroffen werden:

- Kann und will der Ehemann die Geburt miterleben?
- Rooming-in tags und nachts?
- Stillen oder Flaschenfütterung?
- Wie lange will ich stillen?

Nicht nur die Erfahrungen von an Entbindungen beteiligten Ärzten, Hebammen und Schwestern, sondern auch wissenschaftliche Untersuchungen [33, 39] belegen, daß bereits das Erlebnis der Geburt sowie der frühe Kontakt und Umgang mit dem Neugeborenen eine Bindung zum Kind entstehen läßt. Da die Eltern – und nicht das Klinikpersonal – für ihr Kind letztlich verantwortlich sind, es erziehen und großziehen werden, ist dieser erste Kontakt viel mehr noch für die Mutter und den Vater wesentlich. Das Berühren, Streicheln und zärtliche Liebkosen ihres Kindes in den ersten Stunden und Tagen nach der Geburt vermittelt nicht nur dem Säugling schon jetzt erste Signale, seine Eltern kennen- und wiedererkennen zu lernen, sondern kommt auch bei den Eltern einer sensiblen Bereitschaft entgegen, sich besonders liebevoll und intensiv mit ihrem Kind zu beschäftigen. Dieses gilt auch für den bei der Geburt anwesenden Ehemann. Die gefühlsmäßige Beteiligung an der Geburt wird nicht nur von beiden Elternteilen häufig als besonders tiefes, gemeinsames und beglückendes Erlebnis empfunden, sondern vermittelt besonders auch dem Vater ein Gefühl des Hingezogenseins zu seinem Kind, ein Gefühl des Stolzes und des sich mitverantwortlich Fühlens für seinen Sohn oder seine Tochter von Anfang an. Die Anwesenheit des Vaters bei der Geburt ist daher eine Frage, die zuerst von den Eltern und erst in zweiter Linie – z. B. wegen evtl. zu befürchtender Komplikationen – vom Geburtshelfer zu entscheiden ist. Die „Geburt der Familie in der Klinik" [41] kann für den anwesenden Vater ein wenig das Verständnis des sonst für ihn nur schwer nachvollziehbaren Erlebnisses der Schwangerschaft erleichtern. 90% der Ehepaare, die gemeinsam die Geburt ihres Kindes erlebten, empfanden dieses als ein auf die Partnerschaft sich besonders positiv auswirkendes Erleben

[63]. Mitunter geäußerte Befürchtungen hinsichtlich der Beeinträchtigung des späteren Ehelebens konnten in der Regel nicht bestätigt werden. Keineswegs jedoch sollte ein Ehemann gegen seinen oder den gemeinsamen Willen des Paares zur Anwesenheit bei der Geburt gedrängt werden. Die von jedem Elternpaar neu zu findende und individuelle Entscheidung will gemeinsam getroffen sein.

Die Suche nach einer geeigneten Klinik, in der eine „menschengemäße Geburt" [21] mit Berücksichtigung eigener Vorstellungen erfolgen kann, ist jedoch nicht immer ganz leicht. In der Maschinerie der Klinikroutine kann durchaus die so notwendige Menschlichkeit auf der Strecke bleiben. Um diesbezüglichen Enttäuschungen vorzubeugen, sollte man dem Arzt des Vertrauens – der evtl. auch bei der Entbindung anwesend sein kann – sich für eine Klinik entscheiden, die den von den Eltern als wichtig erkannten Maßnahmen entgegenkommt.

Rooming-in und Wochenbett

Früher wurde im Zuge der allgemein üblichen Hausgeburt das Neugeborene während der Zeit des Wochenbetts fast ausschließlich von der Mutter versorgt, wodurch ein enger Kontakt zum Kind von Anfang an durchgehend und ganz selbstverständlich aufgebaut werden konnte. In den letzten 80 Jahren fand in unserem Land jedoch allgemein eine Verlagerung der Geburten in die Kliniken statt, womit gleichzeitig mehr und mehr eine weitgehende Trennung von Mutter und Kind während der Zeit des Wochenbetts einherging. Im Gegensatz übrigens zu anderen europäischen Ländern, wo Hausgeburten z. T. immer noch bei annähernd 50% der Geburten üblich sind. Besonders für Risikoschwangerschaften stellt die Klinikentbindung jedoch eine erheblich größere Sicherheit dar.

Nachdem früher die Isolierung von Mutter und Neugeborenem in der Klinik noch aus medizinischen Gründen vertreten wurde, konnte diese Argumentation aufgrund der Erfahrungen der vergangenen Jahre allmählich mehr und mehr aufgegeben werden [87].

Ein sogenanntes *Rooming-in* wurde erstmals Im Jahre 1948 in einer New Yorker Frauenklinik durchgeführt [31], wo durch die gemeinsame Unterbringung von Mutter und Neugeborenem die Vorteile einer Hausgeburt auch im Krankenhaus nachgeahmt wurden. Die Vorzüge des Beisammenseins von Mutter und Neugeborenem in einem Raum waren so bedeutend, daß sich in den nachfolgenden Jahren auch in der Bundesrepublik Deutschland immer mehr Kliniken dazu entschlossen, dieses System zu übernehmen. In den letzten Jahren ist die Nachfrage zukünftiger Eltern nach einem Rooming-in bereits so angewachsen, daß heute beinahe alle Entbindungskliniken diese Möglichkeit auf Wunsch der Eltern bereitstellen.

Warum ist es aber so wichtig, daß Mutter und Kind nach der Geburt zusammen bleiben, schon in der Klinik nicht getrennt werden, sie sehen sich doch noch während des ganzen Lebens häufig genug?

Die Ent-Bindung, die Loslösung von ihrem Kind, die mit der Durchtrennung der Nabelschnur real, aber auch symbolisch vollzogen wird, erleben viele Mütter zunächst als einen Verlust eines Teils von sich selbst. Wird anschließend darüber hinaus das Neugeborene auch noch räumlich aus der Nähe der Mutter entfernt, kann die verlorengegangene körperliche Einheit für ungewisse Zeit nicht ersetzt werden durch zärtliches Berühren und liebevolles im Arm halten. Auf diese Trennung von ihrem Kind – und nicht allein wegen einer körperlich und hormonell labilen Verfassung nach der Entbindung – reagieren junge Mütter dann mit Trauer, Niedergeschlagenheit und Verzweiflung, was in den Kliniken als „Wochenbettsdepression", als „Heultag" eine allgemein bekannte Erfahrung ist. Um so schwerer wiegt die Isolierung vom Kind, und um so negativer wirkt sich diese besonders auch auf die seelische Verfassung der Mutter aus, als hormonelle Veränderungen nach der Geburt ihre instinktive Pflegebereitschaft sogar noch stärken. Das Hormon Prolaktin, das nach der Geburt und besonders durch den Reiz des Hautkontakts und des Stillens verstärkt ausgeschüttet wird, beeinflußt das mütterliche Verhalten im Sinne der Sicherung einer positiven Zuwendung und Pflege für ihr Kind [61]. Ist das Kind nicht anwesend, geht diese Bereitschaft der Mutter, sich um ihr Kind zu kümmern, ins Leere und läuft sich tot. Eine Reaktion der Trauer, der depressiven Gestimmtheit stellt sich ein.

Wird der jungen Mutter ihr Kind erst zu einem späteren Zeitpunkt, etwa 24 oder 48 Stunden nach der Geburt wieder gebracht, kann die Bereitschaft, auf emotionaler Basis ihr Kind zu pflegen und in ihre Obhut zu nehmen, bereits wieder etwas gemindert sein, sogar so weit, daß sie ihr Kind zunächst als etwas ihr Fremdes erlebt, an das sie sich erst wieder gewöhnen muß und es nicht als ein von Anfang an fest zu ihr gehöriges Wesen empfindet. Wie sehr belastend Mütter die Trennung von ihrem Baby erleben können, mag der nachfolgende Auszug eines Briefes einer Mutter verdeutlichen:

„Ja, und dann kam die Trennung. Offensichtlich hatte die Hebamme hier das Sagen. Ich wagte unmittelbar nach der Geburt – weil alles so gut verlaufen war – nicht darauf zu bestehen, das Kind bei mir zu behalten. Außerdem hatte die Hebamme während einer Gymnastikstunde in belächelnder Weise von einer jungen Frau erzählt, die auch ihr Kind bei sich haben wollte und aus diesem Grund vorzeitig gegangen war. Deshalb wollte ich die Arztvisite am nächsten Tag abwarten.

Dann kam die erste Nacht. Gegen Morgen hörte ich die beiden einzigen Säuglinge im Zimmer gegenüber brüllen! Ich war verzweifelt! Ich hätte die Wände hochgehen können! Ich konnte nicht mehr schlafen. Durch die über den Kopf gezogene Decke drang das verzweifelte Brüllen unseres mit Sehnsucht so lange erwarteten Kindes! Den Arzt konnte ich nur noch unter Tränen um eine Zusammenlegung bitten. Alle bei der Visite Anwesenden schauten sich vielsagend an, als hätten sie Verständnis. Der Arzt bedauerte jedoch und meinte, es sei doch nicht so schlimm, das schreiende Baby sei doch nicht bei mir.

Die nächste Nacht wurde noch schlimmer. Als ich die Nachtschwester auf die schreienden Babys hinwies, sagte sie mir, daß Schreien gesund sei! Als mich mein Mann nach dieser Nacht besuchte, konnte ich nur noch heulen! Ich empfand es als bestialisch, als eine Schwester zum ‚Säuglingsangucken' rief! Ich war nicht in der Lage, zum Säuglingszimmer zu gehen, um mir mit meinem Mann unser Kind hinter einer Glasscheibe – von einer Schwester beziehungslos gehalten – anzusehen!"

Die nicht notwendige Trennung von Mutter und Kind ist nicht nur für den Säugling, sondern besonders auch für die Mutter von Übel, wird doch dadurch ihre von der Natur angelegte Bereitschaft gestört, ihr Kind zärtlich-liebevoll zu behüten. Ganz und gar unverständlich muß vor diesem Hintergrund die Unsitte erscheinen, zur Verhinderung des Einfließens der Muttermilch sogenannte „Prolaktinhemmer" zu verabreichen, die infolge der Hemmung des Hormons Prolaktin nicht nur die Milchbildung stoppen, sondern möglicherweise massiv das „Brutpflegeverhalten" der jungen Mutter beeinträchtigen. – Auch unter diesen erschwerten Bedingungen der Trennung vom Kind und der Verhinderung hormoneller Einflüsse wird eine bemühte Mutter jedoch versuchen, diese schlechten Bedingungen auszugleichen, indem sie sich vornimmt, durch bewußte Beschäftigung mit dem Kind diese anfänglichen Mängel wiedergutzumachen.

Ebenfalls in all den Fällen, bei denen die Geburt für die Mutter schwierig war, das Neugeborene deswegen oder aufgrund einer Frühgeburt von der Mutter getrennt oder auf eine andere Station oder in einen Brutkasten verlegt werden muß und die Situation daher in der Regel ohnehin nicht beeinflußt werden kann, ist diese Möglichkeit der Kompensation besonders wichtig. Den meisten Müttern gelingt es selbst unter diesen erschwerten und sie belastenden Bedingungen, eine intensive und herzliche Beziehung zu ihrem Neugeborenen herzustellen. Im Wissen um die Bedeutung des frühen Mutter-Kind-Kontaktes wird daher in den meisten Kliniken nicht nur der Mutter, sondern auch dem Vater der Zugang sogar zu auf der Intensivstation liegenden Kindern ermöglicht, damit Eltern in wacher Bereitschaft ihr Kind nicht nur versorgen und pflegen lernen, sondern sie eine erste Bindung zu ihrem Kind schon in der Klinik entwickeln und festigen können.

Treten keine unvorhergesehenen Schwierigkeiten auf, bietet das Rooming-in, bzw. Baby-in, eine ideale Möglichkeit, im Schutze der Klinik das eigene Kind von einem zunächst unbekannten Wesen zu einem vertrauten Familienmitglied sich entwickeln zu lassen. Aber nicht nur die Mutter lernt ihr Kind kennen, sondern umgekehrt auch das Neugeborene seine Mutter. Schon in den ersten Lebenstagen sind seine Sinne zum Erkennen und Unterscheiden so weit ausgebildet, daß bereits nach sechs bis zehn Tagen die eigene Mutter von fremden Frauen oder anderen Bezugspersonen unterschieden werden kann [45]; nach sechs Wochen differenzieren sie fremde Personen von der eigenen Mutter sogar im Schlaf [72]. Ein Neugeborenes kann für diese Unterscheidung in ausreichendem Maße sehen, hören, schmecken und riechen. Voraussetzung für die

Fähigkeit, die eigene Mutter möglichst bald zu erkennen und wiederzuerkennen, ist jedoch, daß es möglichst viel auch von ihr betreut wird und nicht die meiste Zeit der Fürsorge im Schichtdienst wechselnder Kinderkrankenschwestern überlassen wird. Da der Geruchssinn bei dieser frühen Bindung an die Mutter von besonderer Bedeutung zu sein scheint, sollten parfümierte Seifen und Deodorants möglichst nicht verwendet werden.

Nach dem gemeinsamen gegenseitigen Kennenlernen kann während der Zeit des Wochenbetts auch jene Sicherheit im Umgang mit dem eigenen Kind erlernt werden, welche die erste Zeit zu Hause für die Mutter weniger anstrengend und belastend verlaufen läßt, wenn sie sich dort nicht nur dem Neugeborenen widmet, sondern gleichzeitig auch wieder den Haushalt und die übrige Familie versorgen muß, einschließlich etwaiger eifersüchtiger Geschwister. Wird in der Klinik die Versorgung des Kindes *nicht* allein den Schwestern überlassen, sondern die Mutter unter Anleitung und Hilfestellung des Klinikpersonals allmählich betraut und vertraut mit dem Wikkeln, Baden, Anziehen etc. des eigenen Kindes, so werden ihr diese Verrichtungen zu Hause leichter von der Hand gehen. Sie fühlt sich dann sicherer im Umgang mit ihrem Kind, weiß schon einige der verschiedenen Signale und Laute ihres Kindes richtig zu deuten und kleine Fehler aufgrund von Ängstlichkeit oder Unsicherheit zu vermeiden.

Die Möglichkeit des Mutter-Kind-Kontaktes im Rooming-in wird in einzelnen Kliniken in unterschiedlichem Ausmaß angeboten. Die Variationsbreite schwankt hierbei von einem häufigeren Bringen des Kindes zur Mutter, über die ganztägige Anwesenheit des Kindes bei seiner Mutter, bis hin zum Angebot, den Säugling auch nachts bei seiner Mutter zu belassen. Es soll hier keine allgemeine und unter allen Bedingungen gültige Regel aufgestellt werden, wie lange Mutter und Kind beisammen zu bleiben haben. Das muß in jedem Einzelfall von den Eltern individuell in Absprache mit ihrem Arzt geregelt werden. Während die eine Mutter ihr Kind in jedem Fall unbedingt auch nachts bei sich wissen möchte, braucht die andere Mutter den Nachtschlaf dringend zur Erholung von den Anstrengungen der Geburt. Grundsätzlich kann jedoch gelten, daß der Kontakt – mit den geschilderten Einschränkungen – *so früh wie möglich* nach der Entbindung beginnen und während des Wochenbetts *so ausgiebig wie möglich* andauern sollte.

So früh wie möglich sollte die Mutter ihr Kind im Arm halten und auch für längere Zeit bei sich behalten können, weil sich zeigte, daß innerhalb der ersten zwölf Stunden nach der Geburt eine besonders sensible Bereitschaft der Mutter für ihr Kind zu bestehen scheint, um eine erste Bindung zu ihm aufzubauen [33]. Die „negativen" Auswirkungen dieser angelegten Bereitschaft einer frühen Bindung sind auf geburtshilflichen Stationen insofern bekannt, als man die Erfahrung machte, daß selbst Mütter, die vor der Entbindung entschlossen waren, ihr Kind zur Adoption freizugeben, es dann doch bei sich behalten und selbst versorgen wollten, wenn man es ihnen zeigte oder gab. Leider hat man hieraus nicht immer die umgekehrte, positive Konsequenz gezogen, diese so wichtige Bindung durch frühen Kontakt zu fördern.

Nicht nur in der ersten Lebenszeit, sondern auch langfristig konnten außerordentlich positive Auswirkungen dieser frühen Interaktion zwischen Mutter und Neugeborenem beobachtet werden: man stellte fest, daß diese Mütter sehr viel weniger bereit sind, ihr Kind der Obhut einer fremden „Bezugsperson" anzuvertrauen [34], die Konstanz der Pflege und damit Sicherheit für das Kind wollten sie in keiner Weise riskieren zu beeinträchtigen. Aufgrund dieses Bemühens, ihres Da-Seins für ihr Kind, und weil sie auf die Bedürfnisse ihres Kindes eingehen, geben sie ihm bereits im ersten Lebensjahr sehr viel Anregung für seine Entwicklung. Sie tun das ganz selbstverständlich in einer Art und Weise, die dem Kind individuell angemessen ist, ohne es durch Konfrontation kritiklos angewendeter Frühförderungsprogramme zu überfordern, ohne selber dadurch auch in einen Leistungsdruck zu geraten, der durch den Vergleich des Kindes mit postulierten Normen nur schwer zu vermeiden ist. Allein individuelles Eingehen auf die emotionale Bedürftigkeit der Kinder bewirkt dagegen schon, daß diese Kinder, die frühen Kontakt zur Mutter hatten und auch unter den Bedingungen des Rooming-in lange nach

Bedarf gestillt wurden, in späteren Lebensjahren einen harmonischeren Verlauf ihrer Entwicklung aufweisen: sie zeigen weniger Verhaltensprobleme und Verhaltensstörungen, sind selbstsicherer und selbstbewußter und verfügen z. T. sogar über ein höheres Intelligenzniveau im Vergleich zu gleichaltrigen Kinder [33]. Dieses sind einige der möglichen späteren und ergiebigen „Früchte", die eine Vorausschau und das Bemühen um unsere Kinder an ihrem Lebensanfang wachsen lassen.

Nicht ein Machenwollen und Manipulierenwollen um jeden Preis darf die Grundhaltung und Einstellung zum Kind sein, sondern ein Annehmen der gestellten Aufgabe der Erziehung. Die Frage der Priorität, die Frage, ob das seelisch-geistige Wohl des Kindes und der Familie an erster Stelle aller Überlegungen steht oder ob diese Chance einer inneren Erfüllung und tiefen Zufriedenheit einem vordergründigen-materiellen Konsumzwang geopfert wird, muß bereits jetzt entschieden werden, bei der Geburt eines Kindes, welche die stets neue Hoffnung und Aufforderung einer bleibenden und gültigen Wertorientierung beinhaltet.

Stillen fördert die Kindesentwicklung

Stillen gehört
zu den wichtigen Vorbedingungen,
daß die Bindung des Kindes an ein Du
gelingen kann.

Christa Meves

Die immer mehr verbesserte Zusammensetzung von Flaschennahrungen hat allgemein und verbreitet zu der Auffassung geführt, daß es praktisch gleich sei, ob ein Säugling gestillt oder mit der Flasche ernährt würde. Die mit massiver Werbung begleitete Bereitstellung künstlicher Nahrungen in Form von Pulvermilchen hat die Mutter von ihrem Kind unabhängig gemacht, da eine Flasche dem Säugling auch von Omas, Tanten, Kindermädchen und anderen Betreuungspersonen „verabreicht" werden kann. Die zunehmende Verbreitung der Berufstätigkeit auch von Müttern kleiner Kinder hat dazu geführt, daß oftmals gar nicht erst mit dem Stillen begonnen wird, wenn von Anfang an beabsichtigt ist, nach Beendigung des Mutterschutzes sofort wieder die vorherige Berufstätigkeit aufzunehmen [79]. Der Vorgang des Stillens wird dann allein unter dem Aspekt der Nahrungszufuhr betrachtet und hierauf reduziert; die ursprüngliche, biologisch bereitgestellte Nahrungsquelle in Form der Mutterbrust scheint vollwertig ersetzbar. Ist sie das wirklich?

Vergleicht man Muttermilch und künstliche Milchen hinsichtlich ihrer biochemischen Zusammensetzung, zeigen sich bereits hier eine Reihe wesentlicher Vorteile der Muttermilch, die alle auf dem Markt befindlichen Pulvermilchen weit in den Schatten stellen: Muttermilch besitzt nicht nur ein anderes Verhältnis von Eiweiß, Fett, Kohlehydraten und Mineralstoffen, sondern ist auch besonders reich an Antikörpern, wodurch gestillte Kinder gegenüber Erkrankungen wesentlich weniger anfällig sind. Die beiden häufigsten Ursachen für Gedeihstörungen im Säuglingsalter – Ernährungsstörungen und infektiöse Erkrankungen – treten bei gestillten Kindern nur in ganz geringem Ausmaß auf. In einer vergleichenden Untersuchung von gestillten und nichtgestillten Kindern wurde festgestellt, daß im Zeitraum von der Geburt bis zum zehnten Lebensjahr Flaschenkinder viermal mehr an Infektionen der Atemwege, zwanzigmal mehr an Durchfallerkrankungen und zweiundzwanzigmal häufiger an Infektionen anderer Art erkrankten [59]. Die Unnachahmlichkeit von Muttermilch wird von führenden Kinderärzten und Ernährungsphysiologen immer wieder hervorgehoben [13, 24, 80].

Abbildung 1: Motivation zum Stillen auf einer polnischen Briefmarke

Besonders im Kolostrum, der zuerst gebildeten gelblichen Vormilch sind die diesen Schutz vor Infektionen bewirkenden Antikörper zahlreich enthalten. Daraus folgt allerdings, daß diese

Immunstoffe vom Säugling nur aufgenommen werden können, wenn er bereits möglichst früh nach der Geburt zum ersten Mal an der Brust saugt. Hierbei kommen Mutter und Kind in ihren angelegten Bereitschaften einander entgegen: von der Mutter wird der wichtige Nährstoff Kolostrum schon zu diesem frühen Zeitpunkt dem Neugeborenen bereitgestellt, während dieses über die Fähigkeit verfügt, bereits bald nach der Geburt begierig saugen zu können. Schon etwa 30 Minuten nach der Geburt erreicht der Saugreflex des Neugeborenen einen ersten Höhepunkt, um dann erst wieder 40 Stunden später in gleicher Intensität vorhanden zu sein [1]. Will man diese gegenseitige biologische Bereitschaft der Mutter und des Säuglings ausnutzen, muß man allerdings berücksichtigen, daß der Mutter unter der Geburt verabreichte Medikamente sich nachteilig auf die Wachheit und damit auf die Saugbereitschaft des Kindes auswirken können. Säuglinge stark medikamentierter Mütter saugen langsamer und mit geringerem Druck [38, 61]. Die Trinkschwäche von Babys läßt sich also in einigen Fällen auf eine zu starke Medikation der Mutter zurückführen; andererseits aber auch darauf, daß Kinder zu spät zum Stillen angelegt werden, nämlich erst dann, wenn die anfängliche Saugbereitschaft bereits wieder verloschen ist. – Eine vorherige, diese Fakten berücksichtigende Vereinbarung mit dem die Geburt leitenden Gynäkologen hilft daher – soweit dies unter den speziellen Bedingungen der jeweiligen Geburt möglich ist –, ein Stillen von Anfang an positiv beginnen zu lassen. Spezielle Hinweise zu einzelnen Fragen des Stillens, sowie auch auf die Vorbereitung hierauf bereits während der Schwangerschaft finden sich in den Büchern [14, 38a, 42a].

Etwa 95% aller Mütter haben biologisch die Möglichkeit, ihr Kind in ausreichendem Maße zu stillen. Absolute Stillhindernisse gibt es nur in ganz seltenen Fällen. Selbst Hohlwarzen brauchen nicht ein Stillen zu verhindern, da sie durch Massagen [7, 14] und ein sogenanntes *Brustschild* so weit herausgedrückt werden können, daß sie vom Säugling zu fassen sind. Das bereits während der letzten Schwangerschaftsmonate zu tragende Brustschild kann über die *La-Lèche-League* bezogen werden. Diese Organisation stillender Mütter ist darüber hinaus gerne bereit, weitere Auskünfte über alle Fragen des Stillens zu geben (s. Anhang). Sollte trotz aller Bemühungen ein Stillen nicht möglich sein, so kann durch besonders intensiven Hautkontakt die körperliche Zuwendung auszugleichen versucht werden, welche das gestillte Kind ganz regelmäßig bei jeder Mahlzeit erhält. So weit wie möglich, ist die Situation bei der Flaschenmahlzeit der innigen Beziehung zwischen Mutter und Kind während des Stillens anzugleichen.

Sorgen um die eigene Figur sind gerade bei stillenden Müttern wenig berechtigt, da sich das Gewicht stillender Mütter sehr viel schneller normalisiert als bei nicht stillenden. Der Saugreiz des Kindes bewirkt über das Hormon Oxytocin eine schnellere Rückbildung der Gebärmutter. Auch die Mär von der Erschlaffung der Brust hat sich als Ammenmärchen erwiesen. Kinderärzte empfehlen allgemein eine Stilldauer von mindestens sechs Monaten.

Einen anderen entscheidenden Aspekt des Stillens hat seit vielen Jahren immer wieder die analytische Kinder- und Jugendlichen-Psychotherapeutin Christa MEVES hervorgehoben: sie weist darauf hin, daß das Hungrigsein, der Nahrungstrieb des Säuglings sich nicht nur durch die Sättigung infolge genügender Nahrungsaufnahme erschöpft, sondern das Saugbedürfnis, der Saugantrieb eine ebensolche Befriedigung durch Betätigung erreichen muß [49]. Dieses ist aber nur möglich, wenn der Säugling sich tatsächlich saugend anstrengt, um seine Nahrung zu erhalten. Die Antriebshandlung der Nahrungsaufnahme bedarf nicht nur einer genügenden Nahrungsmenge, sondern zur Entspannung dieses Antriebsdrucks gehört auch die aktive Saugleistung des Kindes. Da bei künstlicher Ernährung häufig die Milch *ohne* große Sauganstrengung erreicht werden kann – das Saugen an der Brust ist für den Säugling anstrengender als an der Flasche –, wird das zur Antriebshandlung der Nahrungsaufnahme dazu gehörende Saugbedürfnis nur ungenügend befriedigt. Besonders, wenn außerdem in unzulässiger Weise der Flaschensauger erweitert wird, tritt infolge einer Nahrungszufuhr innerhalb eines zu kurzen Zeitraumes nur ein ungenügendes Gefühl der Sättigung und keine Befriedigung ein. Die nicht reduzierte Antriebsspannung des Saugens führt zu einem weiteren Verlangen nach Nahrung, und die Mutter wird dem durch Schreien geäußerten Bedürfnis ihres Kindes mit weiterem Nahrungsangebot zu begegnen suchen. Dieses wiederum kann zu einer Fettsucht bereits im Kleinkindalter führen. Füttert die Mutter ihr Kind jedoch nicht nach, läßt sie ihr Kind schreien, wird es versuchen, durch eine Antriebsentladung im inadäquaten Objekt, wie z. B. durch Daumenlutschen oder durch rhythmisches Hin- und Herbewegen des Kopfes oder des ganzen Körpers, seine innere Spannung abzubauen. Stillt eine Mutter jedoch, werden alle diese verschiedenen Bedürfnisse ihres Kindes in idealer Weise gleichzeitig und dem Kind entsprechend befriedigt [54].

Das Stillen des Kindes muß in jedem Fall aber auch die Bedürfnisse des Säuglings berücksichtigen, was bedeutet, daß dieses *nach Bedarf* (ad libitum) erfolgen sollte (s. Abbildung 2).

Weil Muttermilch leichter und schneller verdaut wird, kann es vorkommen, daß ein Säugling anfangs schon nach zwei bis drei Stunden wieder hungrig ist. Es ist falsch zu meinen, bereits in den ersten Tagen und Lebenswochen müsse ein Kind an einen bestimmten äußeren Rhythmus, an nach der Uhr festgesetzte Fütterungszeiten gewöhnt werden. Das Schreien des Säuglings muß in jedem Fall beachtet werden, will man nicht Gefahr laufen, schon am Anfang eines hoffnungsvollen Lebens dieses durch eine Haltung von Resignation und Depression – weil ja doch niemand das Rufen beachtete – in seiner Entfaltungsmöglichkeit zu behindern.

Als Faustregel kann gelten: *Man kann im ersten Lebensjahr einen Säugling nicht verwöhnen!*

Die erste und wichtige Grunderfahrung in diesem ersten Lebensabschnitt muß stattdessen heißen, daß immer und jederzeit genügend Zuwendung und genügend Nahrung zur Verfügung steht. Nur wenn dieses Grundbedürfnis eines jeden Kindes abgesättigt ist, kann ein Gefühl der Zufriedenheit und

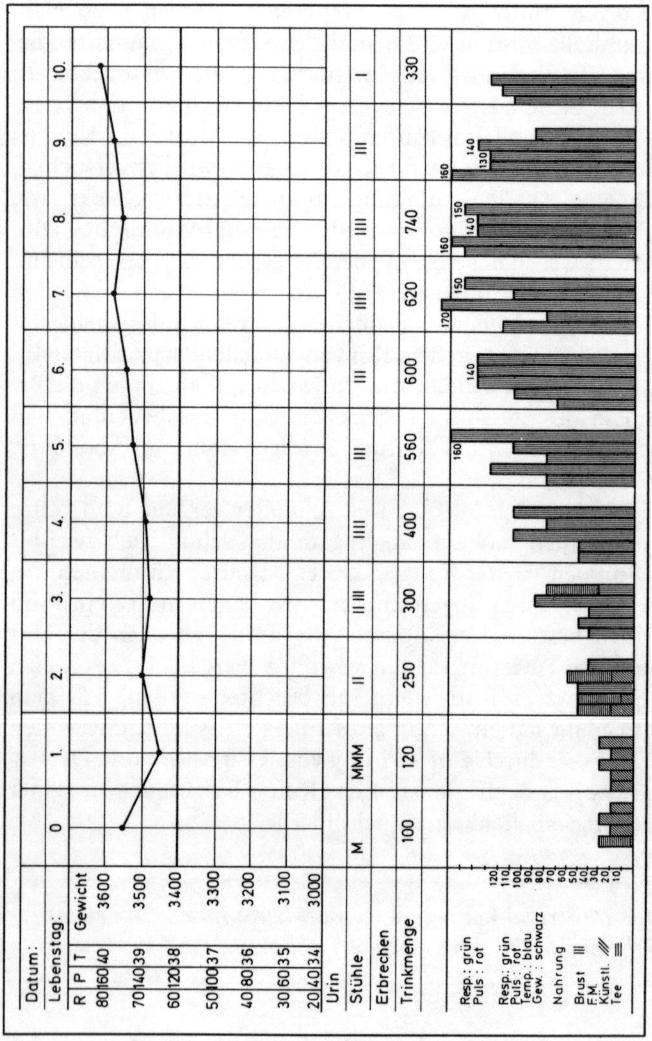

Datum:
Lebenstag: 0 1. 2. 3. 4. 5. 6. 7. 8. 9. 10.
R P T Gewicht
80 160 40 3600
70 140 39 3500
60 120 38 3400
50 100 37 3300
40 80 36 3200
30 60 35 3100
20 40 34 3000
Urin
Stühle
Erbrechen
Trinkmenge 100 120 250 300 400 560 600 620 740 330
Resp.: grün
Puls: rot
Resp.: grün
Puls: rot
Temp.: blau
Gew.: schwarz
Nahrung
Brust
F.M.
Künstl.
Tee

Sicherheit entstehen, weil dieses existentiell notwendige Verlangen zufriedengestellt wurde.

Auch nachts schläft ein Säugling anfangs noch nicht durch, sondern er wird wach und verlangt nach Nahrung. Nachts zu stillen bedeutet zwar auch eine Unterbrechung des Nachtschlafes der Mutter, den sie gerade in den ersten Wochen und Monaten eigentlich dringend braucht, da sie doch den ganzen Tag über außer ihren Kindern in der Regel auch noch den Haushalt zu versorgen hat. Dennoch ist Stillen einfacher, problemloser und mit weniger Aufwand verbunden, als wenn im Dunkel der Nacht die ganze Prozedur des Fläschchenmachens erfolgen müßte. Neben der Mutter im Bett liegend, warm und eng an sie gekuschelt, kann der Säugling ohne großen Aufwand seinen Durst stillen; behaglich und zufrieden schläft er anschließend im Arm seiner Mutter wieder ein: Beruhigt durch ihre Nähe, zufrieden nach der Sättigung und vertraut und geborgen in ihrer Obhut, durch den regelmäßigen Rhythmus ihres Herzschlages, den er bereits während der Zeit der Schwangerschaft kennengelernt hat.

Sicher kann dies Bemühen für die Mutter oft auch anstrengend sein, da sie bei den Mahlzeiten des Kindes niemand ersetzen, niemand ihr diese Tätigkeit abnehmen kann. Deshalb ist es aber auch besonders wichtig, daß sie bei allen Tätigkeiten im Haushalt so weit als möglich vom Vater entlastet wird. Auch von ihm muß das Bemühen und Sorgen um das harmonische Gedeihen seines Kindes mitgetragen werden, durch seine Unterstützung und Hilfe für seine Frau nach besten Kräften. In dieser ersten Zeit sollte er sich selber mit seinen persönlichen Wünschen und Anliegen auch ein wenig hintanstellen können; die gemeinsame Ausrichtung allen Handelns und Tuns

---

Abbildung 2: Die Trinkmenge während der einzelnen Mahlzeiten ist unterschiedlich: je nach Appetit trinkt der Säugling mehr oder weniger. Die schraffierten Balken veranschaulichen die verschiedenen Trinkmengen. Es wäre falsch, dem Säugling über seinen Appetit hinaus mehr an Nahrung zuzumuten; auch Wiegen nach jeder Mahlzeit ist nicht erforderlich (Abb. n. *Bärlocher*).

sollte in erster Linie der Entwicklung des Kindes und der Familie dienen. Zusätzliche Hilfskräfte für die stillende Mutter sind wünschenswert, da sie der Mutter mit kleinen Kindern in idealer Weise den notwendigen Freiraum verschaffen, um – von der täglichen Routinearbeit des Haushalts entlastet – sich ausgeglichen der Erziehung ihrer Kinder widmen zu können. Es lohnt die Überlegung, ob die hierfür evtl. notwendigen finanziellen Aufwendungen nicht besser angelegt sind als die geplante größere Anschaffung oder die Urlaubsreise ins Ausland. Glück, Zufriedenheit und Ausgeglichenheit finden sich nicht nur in möglichst großer Entfernung vom heimischen Herd, sondern auch gerade dort, wo mit innerer Bejahung die wirklich wichtigen Dinge im Leben getan werden.

Sorgen um das Frühgeborene

Denn wir können die Kinder
nach unserem Sinne nicht formen;
so wie Gott sie uns gab,
so muß man sie haben und lieben.
Johann Wolfgang von Goethe

All das, was in bezug auf eine unkomplizierte und termingerecht verlaufende Geburt und zur Pflege und Versorgung des Neugeborenen ausgeführt wurde, gilt ebenso – soweit es die Umstände erlauben – für die Behandlung eines zu früh geborenen Kindes. Die plötzlich und unerwartet für die Eltern durch eine Frühgeburt beendete Schwangerschaft läßt Gefühle der Trauer und der Sorge entstehen, ob das Neugeborene überleben wird und ob seine weitere Entwicklung harmonisch oder durch die Frühgeburt belastet und verzögert verlaufen wird. Gerade weil eine potentielle Gefährdung des Frühgeborenen besteht, ist es mehr noch als beim „unauffälligen Neugeborenen" [6] wichtig, zur Vorbeugung gegenüber körperlichen und seelischen Erkrankungen die Erfordernisse bei der Pflege des zu früh geborenen Säuglings sorgfältig zu beachten.

Die körperliche Unreife des Neugeborenen macht es häufig notwendig, es sofort nach der Geburt in einen Brutkasten, in einen sogenannten Inkubator, manchmal auch auf die Intensivstation der Klinik zu verlegen. Nur dort ist seine bestmögliche Überwachung und Pflege gewährleistet. Zurück bleibt die Mutter, die sich nach der Trennung von ihrem Kind Sorgen macht, ob alles mit ihm in Ordnung sei, was alles für eine gesunde Entwicklung des Kindes getan werden könne.

Nicht Selbstvorwürfe und Schuldgefühle – so verstehbar sie auch sind – bessern jedoch die Situation der Mutter und des Säuglings, sondern Überlegungen gemeinsam mit dem Ehemann, wie bereits die notwendige Verweildauer in der Klinik am besten genutzt werden kann.

Aufgrund der Erfahrung, daß ein baldiger Kontakt auch zum Frühgeborenen nicht nur die Entstehung der emotionalen Beziehung zwischen Eltern und Kind beschleunigt und vertieft [76], sondern auch dem Gedeihen des Kindes zugute kommt, werden in immer mehr Kliniken auch die Intensivstationen dem Zugang der Eltern geöffnet. Unter Einhaltung der erforderlichen hygienischen Vorschriften (Hände waschen bzw. desinfizieren, Kittel) dürfen Eltern ihr Kind nicht nur im Inkubator anschauen, sondern es auch anfassen, streicheln und ein wenig selbst versorgen. Der erste Anblick des eigenen Kindes, das im Brutkasten über Schläuche und Kabel an verschiedene Überwachungsgeräte angeschlossen ist, wird nicht immer leicht zu ertragen sein, doch hilft dieses Kennenlernen vielen Müttern dennoch mehr als die quälende Ungewißheit darüber, wie es ihrem Kinde geht. Es kann aber angebracht sein, daß zunächst der Vater allein diese Besuche beim Kind unternimmt und der Mutter über die fortschreitende Entwicklung berichtet. Ein Gespräch mit dem Arzt wird die individuell richtige Lösung finden lassen. *Einer* der Eltern sollte jedoch in jedem Fall täglich und regelmäßig das Neugeborene besuchen. Erkrankungen und Infekte des Kindes durch den direkten Kontakt mit seinen Eltern wurden allgemein nicht beobachtet. Im Gegenteil: diese Kinder können in der Regel viel früher nach Hause entlassen werden, als das üblicherweise auf Frühgeborenenabteilungen möglich ist [16]. Wenn die Eltern mit der Pflege ihres Kindes gut zurechtkommen, kann es vielleicht sogar schon vor Erreichen der Fünf-Pfund-Grenze entlassen werden, denn auch ein täglicher Besuch kann die geborgene Situation zu Hause nicht ersetzen.

Neben frühem Kontakt ist möglichst eine weitere Voraussetzung zu schaffen, um das Frühgeborene optimal gedeihen zu lassen: auch ein Frühgeborenes sollte sobald als möglich von seiner Mutter gestillt werden. Während der Zeit, in der das Kind noch im Inkubator liegen muß, kann die Milchproduktion der Mutter durch regelmäßiges Abpumpen der Milch aufrechterhalten und auch gesteigert werden [36, 52]. Wie sehr die Milchmenge durch regelmäßiges, täglich mehrmaliges Abpumpen erhöht werden kann, verdeutlicht Abbildung 3. Da die Milch der Mütter Frühgeborener in ihrer Zusammensetzung den besonderen Bedürfnissen des Kindes angepaßt ist und sich auch während des zunehmenden Gedeihens dem geänderten Bedarf anpaßt [2], wird in zunehmend mehr Kliniken Muttermilch bereits an Frühgeborene verfüttert. Vorsichtig mit einem dünnen Schlauch erhalten die Kinder die für sie optimale Nahrung. Später dürfen Mütter oft auch ihre Frühgeborenen bereits in der Klinik stillen, so daß bei der Entlassung nach Hause regelmäßig genügend Milch gebildet wird.

Wenn anfangs dem Säugling das Trinken an der Brust noch Schwierigkeiten bereitet, kann die abgepumpte Milch auch mit einem dünnen Schlauch gefüttert werden. Dieser Schlauch

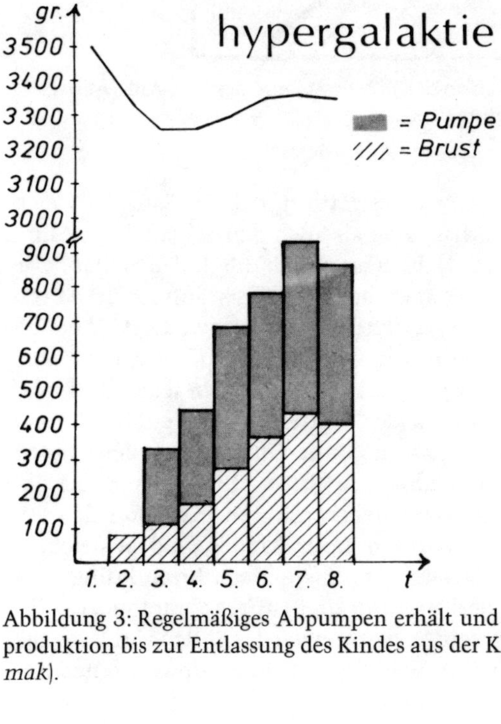

Abbildung 3: Regelmäßiges Abpumpen erhält und steigert die Milchproduktion bis zur Entlassung des Kindes aus der Klinik (Abb. n. *Czermak*).

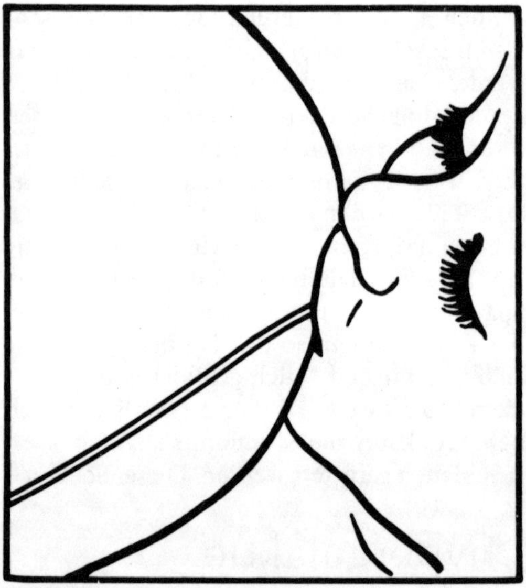

Abbildung 4: Trinken an der Brust mit Hilfe des Lact-Aid. (Abb. *La Lèche League International*).

wird dann so zur Brustwarze geführt, daß der Säugling gleichzeitig sowohl die Brustwarze als auch den Schlauch im Mund behält (s. Abbildung 4). Er ersaugt sich durch den Schlauch genügend Nahrung, regt aber die Brustdrüsen infolge der Stimulation der Brustwarze gleichzeitig auch zur weiteren Milchbildung an. Diese Stillhilfe, ein sogenanntes *Lact-Aid*, kann auch über die La-Lèche-League bezogen werden. In jedem Fall ist es wichtig, die Stillfähigkeit der Mutter zu erhalten, bis die Kinder den Brutkasten verlassen können, um diese in besonderem Maße von Passivität bedrohten Kinder allmählich an die notwendige Sauganstrengung heranzuführen [52]. Von den Sorgen um das gute Gedeihen ihres Kindes sind ausreichend stillende Mütter entlastet; bei flaschenernährten Frühgeborenen ist dagegen Überfütterung ein häufiges Symptom [16]. Die langfristigen positiven Auswirkungen des Stillens im Vergleich zu künstlicher Ernährung konnten bei zu früh geborenen Kindern bis ins Schulalter hinein nachgewiesen werden [52]; auch beim Vergleich frühgeborener Zwillinge zeigte der gestillte Zwilling deutlich weniger Verhaltensprobleme und kaum Schulschwierigkeiten. Der Einsatz und die Mühe, die Stillfähigkeit aufrechtzuerhalten, lohnen sich also sehr.

Reifungsverzögerungen, wie z. B. späteres Laufen- und Sprechenlernen, werden bei zu früh geborenen häufiger als bei termingerecht geborenen Kindern beobachtet. Ein Vergleich mit dem gleichaltrigen Nachbarskind muß daher immer die erschwerten anfänglichen Lebensbedingungen nach der Geburt des eigenen Kindes berücksichtigen. Bei Beurteilungen der Kindesentwicklung mit Testverfahren wird daher anfangs die Zeitspanne, um die das Kind zu früh geboren wurde, von seinem tatsächlichen Lebensalter abgezogen. Eine etwas verzögerte Entwicklung ist deshalb nicht unbedingt Anlaß zur Besorgnis. Aufgrund der erschwerten Startbedingungen ist es für diese Risikokinder jedoch „doppelt wichtig, daß sie konstant von der Mutter selbst betreut werden, damit sie die ersten Wochen fehlender Geborgenheit sofort nachholen können" [52]. Bereits im Säuglingsalter muß das ausgleichend nachgeholt werden, was diese Kinder durch die zu frühe Geburt entbehren mußten. Nicht ein Liegen im Bettchen während des ganzen Tages vermittelt dem Säugling die notwendigen Sinnesreize, sondern das Aufheben und Herumgetragenwerden, das „Gespräch" mit den Eltern, aber auch ein über dem Bettchen angebrachtes Mobile. Die Anwesenheit und Verfügbarkeit der Mutter ist gerade für diese Kinder besonders wichtig.

Spätere Ernährungsprobleme werden bei Frühgeborenen etwas häufiger beobachtet als bei Kindern, die zum errechneten Termin geboren wurden. Das Bemühen der Eltern darum, daß ihre Kinder gut gedeihen, ist nur zu verständlich, doch muß beachtet werden, daß durch eine Überbewertung dieses Bereiches bestehende Störungen nicht noch verstärkt werden. Wo immer zum Essen gedrängt wird, entwickeln Kinder erst recht eine Abwehr und Abneigung gegenüber den Mahlzeiten. Selbst gesunde Kinder sind äußerst empfindlich, wenn ihnen über ihren Appetit hinaus mehr an Essen zugemutet wird. Allzu striktes Einhalten vorgeschriebener Ernährungspläne schadet da letztlich mehr als daß geholfen wird, zumal individuelle und tägliche Schwankungen der Nahrungsaufnahme in strengen Schemata kaum berücksichtigt werden können. Dieser oft kritische Punkt in der Entwicklung des Kindes sollte mit dem Kinderarzt vorsichtig, aber optimistisch im Auge behalten werden.

Schreienlassen oder nicht?

Schreien ist ein Rufen nach der Mutter. Es ist für den Säugling die einzige Möglichkeit, seine Umgebung darauf aufmerksam zu machen, daß er sich nicht wohl fühlt, daß er Hunger hat oder aus einem anderen Grund beunruhigt ist. Schreien oder Weinen ist daher immer ein Notsignal, das unbedingt beachtet werden sollte, will man nicht leichtfertig die emotionale Beziehung zwischen Mutter und Neugeborenem beeinträchtigen und stören.

Die biologische Bereitschaft des Ammenrapports der Mutter, die Fähigkeit also, selbst im Schlaf das Rufen des Kindes wahrzunehmen und hierauf mit Aufwachen und der Versorgung des Kindes zu reagieren zeigt, wie stark das instinktmäßig angelegte Pflegeverhalten ausgebildet ist, um die Versorgung des Kindes zu sichern. Daß dieses als biologische Funktion vorgesehen ist, weist darauf hin, wie sehr das Kleinkind seine Mutter braucht! Versucht sie aber, sich gegen diesen Ammenrapport zu sträuben, weil sie meint, das Kind müsse doch allmählich lernen nachts durchzuschlafen, bekommt dieses weder der Mutter noch ihrem Kind. Die Mutter wird nicht wirklich schlafen können, wenn sie ihr Kind nach sich rufen hört, sie kann dieses allenfalls zu überhören versuchen. Da das Schreien des Kindes hiervon jedoch nicht abnimmt, sondern lauter und auffordernder wird, ist der Nachtschlaf erst einmal dahin: die übrige Familie wacht durch den „Störenfried" evtl. mit auf, und mißgünstige Nachbarn pochen an die Wand. Schließlich werden Vater oder Mutter doch aufstehen, zähneknirschend, dumpf im Bewußtsein, vermeintlich die erste Runde einer konsequenten Erziehung an den Schreihals verloren zu haben. Konsequenz ist notwendig, aber im ersten Lebensjahr heißt dieses vor allem, unermüdlich zu sein in der Zuwendung!

Eine Erziehung zum nächtlichen Durchschlafen während

dieser ersten Lebenszeit – wobei als hierzu untaugliches Erziehungsmittel häufig die kontaktabbrechende Methode des Ignorierens gewählt wird – erreicht oft nicht nur das genaue Gegenteil, sondern schafft Raum für das Entstehen existentieller Ängste: verhungern zu müssen, allein gelassen zu werden, sich nicht geliebt und angenommen zu fühlen. Zwar kann es durchaus mit einer gewissen Härte und Empfindungslosigkeit gegenüber sich selbst und dem Kind gelingen, daß das Kind nach einigen durchschrienen Nächten erschöpft verstummt. Die Erfahrung, daß sein Rufen nicht beantwortet wurde, hat es resignieren lassen, läßt es nun manchmal sogar besonders tief schlafen; nicht aber aus einem Gefühl der Sicherheit und Geborgenheit, sondern aus Resignation. Es zieht sich in sich selbst zurück, nachdem die Rufe nach Kontakt unbeachtet und unbeantwortet blieben.

Nicht selten wird das Kind dann auch am Tage – besonders wenn es dort dieselbe Erfahrung machen mußte – ruhiger werden, weniger Kontakt zu Eltern und Geschwistern aufnehmen und passiver werden. Eltern erleben diese Kinder dann als brav, angepaßt und zunächst unkompliziert. Die scheinbar positiven Eigenschaften stellen eigentlich aber einen Mangel an Sicherheit dar, der später allzuleicht in eine Übergefügigkeit, Selbstunsicherheit und Antriebsarmut mündet[54]. Nicht immer bringt man diese Eigenschaften dann in Zusammenhang mit der Entwicklung in der ersten Lebensjahre. Da die Folgen, sowohl der Erfolg als auch der Schaden einer Erziehungsmaßnahme in der ersten Lebenszeit nicht immer sogleich erkennbar, geschweige denn langfristig überschaubar sind, darf eine verantwortungsbewußte Erziehung sich nicht mit kurzlebigen Scheinerfolgen zufrieden geben, sondern muß – vorausschauend – gegenwärtige Erziehungsmaßnahmen und Entwicklungsschritte als fördernde oder hemmende Vorbedingung nachfolgender Lebensabschnitte zu begreifen lernen.

Säuglinge schreien jedoch nicht nur, sie geben eine Vielzahl von Lauten von sich, die bemühte Eltern bereits nach einiger Zeit voneinander zu unterscheiden wissen. Lautliche Äußerungen während des Schlafes, während der Mahlzeit oder beim Spiel mit der vertrauten Person signalisieren keineswegs immer einen Notstand, der sofort behoben werden muß, sondern drücken auch die Zufriedenheit und das sich Wohlfühlen des Kindes aus [60]. Diese Laute geben Eltern auch positive Rückmeldungen hinsichtlich der Richtigkeit des eigenen Verhaltens und Eingehens auf das Kind. Wenn wir auch diese Signale als bedeutungsvoll verstehen lernen und hierauf gleichermaßen und nicht nur auf die frequenzhöheren Alarmsignale zu reagieren uns angewöhnen, läßt sich bald erreichen, diese angenehme, von gegenseitiger Zufriedenheit getragene Atmosphäre auszudehnen, so daß Signale und Äußerungen der Zufriedenheit gegenüber solchen des Unmuts und der Mißempfindungen überwiegen.

Einige der Lautäußerungen des Säuglings oder der Rufe des Kleinkindes nach der Mutter haben ausschließlich die Funktion, sich der Anwesenheit dieser Hauptbezugsperson zu vergewissern. Eine kurze Antwort, ein „Ja, ich bin da", genügen dann oft schon, um dem Kind eine weitere Zeitlang das Gefühl zu geben, nicht allein gelassen zu werden, sondern gut behütet zu sein. Dieses setzt allerdings voraus, daß sich die Mutter in Rufnähe ihres Kindes aufhält, um den Kontakt zu ihm über das gegenseitige Im-Auge-Behalten hinaus auch von Zimmer zu Zimmer oder von der Küche zum Garten akustisch aufrechtzuerhalten.

Sicherheit und Konstanz, möglichst keine Beunruhigung heißt die Devise, die wie ein roter Faden alle Bemühungen um das Kind durchziehen sollte. Unruhe, Disharmonie und Ängste wird es in seinem späteren Leben ohnehin mehr aushalten müssen, als man es ihm wünschen mag. Es wird diese Belastungen und Fallstricke des Lebens aber besser meistern und bewältigen können, wenn ihm die Erfahrung, in früheren Notsituationen nicht hilflos allein gelassen worden zu sein, ein Gefühl der zuversichtlichen Hoffnung vermittelt.

Tragen und Wiegen

Neun Monate lang wird das Ungeborene im Leib der Mutter getragen, bei jedem Schritt hin- und hergewiegt. Es lernt so allmählich die Art ihrer Bewegungen und den Rhythmus ihres Herzschlages kennen. Dieses alles wird ihm so vertraut, bedeutet für ihn, sich geborgen und wohl behütet zu wissen, daß auch nach dem Geborenwerden sich der Säugling durch Wiegen auf dem Arm und durch den vertrauten Herzschlag der Mutter schnell wieder beruhigt, wenn er durch irgend etwas beunruhigt oder erschreckt wurde. Instinktiv tragen 80% bis 90% der Mütter ihr Neugeborenes so, daß dessen Kopf an ihrer linken Seite in der Nähe des Herzens ruht. Diese Haltung findet man unterschiedslos bei Rechtshändern wie Linkshändern [10] und generell bei Frauen wesentlich ausgeprägter als bei Männern [9]. Die Vertrautheit des Herzschlages, verbunden mit der Erinnerung an die intrauterine Geborgenheit, beruhigt und „stillt" das Kind augenblicklich.

Während in vielen Entwicklungsländern auch heute noch ganz selbstverständlich Säuglinge hautnah selbst während der täglichen Arbeit am Körper getragen werden, haben wir in unserem westlichen Kulturkreis die entwicklungsfördernden Vorteile des beruhigenden Hautkontaktes zugunsten technischer Lösungen zu sehr vernachlässigt: aber nur auf den ersten Blick scheinen moderne Kinderwagen mit Panoramascheiben und Rundum-Blick vollwertigen Ersatz zu bieten anstelle des Getragenwerdens von Mutter und Vater. Darüber hinaus werden sie häufig einem Räumschild gleich dazu benutzt, selbst im dichtesten Gewühl der Kaufhäuser Platz zu schaffen, wo leider wenig Rücksicht auf die mit Vorsicht einen Weg sich bahnende junge Mutter genommen wird.

Aber selten nur wird darüber nachgedacht, ob der räumlich von der Mutter getrennte und auf sich allein gestellte Säugling die vielfältig im Einkaufstrubel auf ihn einstürzenden Reize überhaupt zu bewältigen vermag, ob die Reizstimulierung nicht zur Reizüberflutung wird, die Ängste auslösen und Schlafstörungen mit nächtlichem Weinen nach sich ziehen könnte. Mehr Sicherheit für das Kind bewirken dagegen Kinderwagen oder auch Buggys, die auch während der Spazierfahrt einen Blickkontakt des Kindes zur Mutter ermöglichen, d. h., daß das Kind mit dem Rücken zur Fahrtrichtung sitzt. Der Mutter zugewandt fühlt sich das Kind geborgener.*

Noch kindgemäßer ist das Benutzen eines Tragetuches oder einer anderen Tragemöglichkeit: Die beruhigende Nähe der Mutter bietet eine sichere Basis, von der aus Fremdes und Ungewohntes – sozusagen von oben herab aus sicherer Entfernung – ohne Furcht betrachtet und kennengelernt werden kann. Das beruhigende und Geborgenheit vermittelnde Gewiegtwerden am Körper der Mutter gibt Sicherheit. Der anatomisch korrekte Spreizsitz auf der Hüfte der Mutter kann gleichzeitig eine mögliche Hüftgelenksluxation (Verschiebung des Oberschenkelgelenkkopfes in der Beckenpfanne) des Kleinkindes verhindern, die vor allem bei Mädchen häufig auftritt; immer aber ist die Nähe der Mutter für das von ihr getragene Kind entwicklungsanregend. Im Alter von etwa drei Monaten bis zu ein bis eineinhalb Jahren bieten die von verschiedenen Herstellern angebotenen Tragemöglichkeiten (s. Abbildung 5) eine positive Alternative oder Ergänzung zum Kinderwagen. Freilich sollte auch das Kind im Tragetuch nicht zu häufigen und übersteigerten Reizüberflutungen ausgesetzt werden. Jenseits der Eineinhalbjährigkeit sollte das wachsende Bedürfnis und die Freude des Kindes an der Bewegung jedoch nicht durch allzuviel Tragen oder Hin- und Herschieben im Kinderwagen beeinträchtigt werden.

---

* Bei noch kleinen Kinder kann auch im Kinderwagen das Interesse am Schauen und Fixieren geweckt werden: Nicht kleine Muster oder gar eine einfarbige Leinenstruktur bieten einen Sehanreiz – diese können vom Säugling noch gar nicht erkannt bzw. unterschieden werden – sondern attraktive, großformatige Muster.

Snugli Baby-Tragebeutel

Didymos Baby-Tragetuch

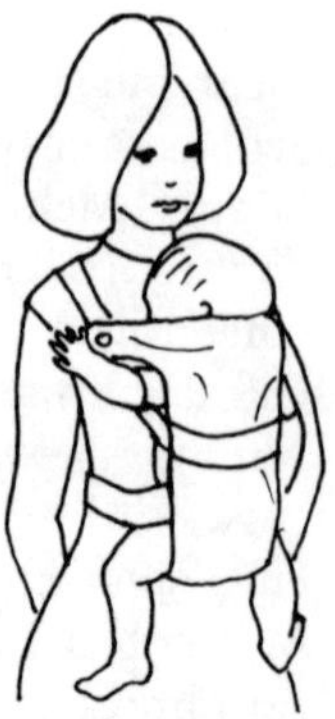

Känguruh-Sack

Tragschlingen-Sitz

Abbildung 5:
Tragemöglichkeiten für das Kleinkind
(*La Lèche Liga* Schweiz)

Der sanfte, beruhigende Rhythmus des Getragenwerdens wiederholt sich auch beim Einschlafen im Schaukeln einer Wiege. Durch ein Hin- und Hergewiegtwerden beruhigen sich Babies leichter. Eine Wiege ist daher die beste Schlafstatt für das Neugeborene und Kleinkind [88]. Zusammen mit dem Rhythmus und der Harmonie eines Wiegenliedes entsteht dadurch beim Kleinkind wieder jenes behagliche Gefühl der Zufriedenheit, das der früher im Mutterleib erfahrenen Geborgenheit ähnelt.

Zwischen Krippe und Konsum

Im Konflikt zwischen der Realisierung eigener Bedürfnisse der Erwachsenen und dem was man meint, Kindern zumuten zu können, tritt an die Stelle persönlicher Zuwendung bedauernswerterweise zunehmend mehr der Wunsch nach außerfamiliärer bzw. sogenannter familienergänzender Betreuung. Politiker haben sich zwischenzeitlich diese Forderungen eines Teils der Eltern zu eigen gemacht und umgesetzt: Die Zahl der Kinderkrippenplätze nahm von 1960–1990 um 208% zu, siw Anzahl der Kinder dieser Altersgruppe nahm im gleichen Zeitraum jedoch um 21% ab. Dies bedeutet, daß schon kleinen Kindern die Basis für ein spätere harmonische Entwicklung entzogen wird.

In einer 1990 durchgeführten Untersuchung sagten 81% der befragten Mütter, daß ihr Kind ein „Karrierehindernis" bzw. „Weiterbildungshindernis" sei und ihre Aufstiegschancen mindere. In der Güterabwägung zwischen der Realisierung eigener Bedürfnisse und dem was man meint, Kindern zumuten zu können, werden Einrichtungen der außerfamiliären Betreuung daher zunehmend eingefordert.

Wie sich diese kindferne innerfamiliäre Werthierarchie in Form der Krippenunterbringung für das Kleinkind darstellt, schildert nachfolgend eine Mutter:

„Es dauerte nicht lange, da wurde Katrin das erstemal krank. Die Ärztin diagnostizierte spastische Bronchitis, Soor und Brechdurchfall. Tatsache ist, daß Katrin von Januar bis März viermal eine spastische Bronchitis hatte. Jedesmal bekam sie starke Medikamente. Sie war bereits neun Monate alt, als ich sie das erstemal impfen lassen konnte; kaum daß sie wieder gesund war, kam schon der nächste hauseigene Infekt.

Wenn ein Kind mit einer Bronchitis anfängt, bekommen es immer alle Kinder in der Krippe. Es ist ja auch ganz klar, wenn man bedenkt, daß die Babys die Spielsachen in den Mund nehmen, wieder weglegen, das nächste Kind nimmt das weggeworfene Spielzeug, steckt es in den Mund und kommt somit mit den Krankheitserregern in Berührung. Oder ein Kind hat Schnupfen, liegt auf dem Boden, verschmiert dort Nasenschleim, ein anderes tappt hinein und verteilt dadurch den Schleim weiter auf dem Boden. Ein Baby krabbelt hinterher, steckt anschließend den Finger in den Mund usw. Es läßt sich gar nicht vermeiden.

Die Schlafenszeiten wurden immer kürzer. Wenn ich meine Tochter abholte, bot sich mir immer mehr das Bild einer stark fingerlutschenden Katrin mit traurigen, verweinten Augen. Selten war sie bei der ihr von Anfang an vertrauten Betreuerin, sondern immer öfter auf dem Arm der Erzieherin einer anderen Gruppe oder bei Praktikantinnen aus weiteren Gruppen. Immer wieder waren es neue, fremde Gesichter, die sie betreuten.

Aus meiner anfangs lustigen, fröhlichen und zufriedenen Katrin wurde immer mehr eine ängstlich dreinschauende, nukkelnde Katrin, die ihre Unzufriedenheit über das Zusammensein mit dieser unruhigen Kinderhorde in langanhaltenden Einschlafstörungen und regelmäßigem, lautem nächtlichen Aufschreien zum Ausdruck brachte.

Eines Tages fragte ich, ob ich nicht ein bißchen länger dableiben könne, um zu sehen, wie Katrinchen sich in der Gruppe verhielt. Dann sah ich, wie es abläuft, das ‚Spielen der Babys' und die ‚Freude darüber, daß sie unter Gleichaltrigen sein können':

Katrin krabbelt zu einer Spielzeugkiste hin und will sich hochziehen. Da wird sie an den Haaren gezogen; ich tröste sie, setze sie auf den Boden. Jetzt wird sie von einem Kind blindlings weggestoßen. Wieder nach einer Weile will ein größeres Kind mit einem Holzauto auf ihrem Kopf herumhämmern. Es kriegt ständig irgendein Kind was ab. Meistens weinen die Kinder aber, weil sie sich gegenseitig kratzen, zwicken und natürlich auch beißen.

Mütter die den ganzen Tag arbeiten, kriegen die „Stoßzeiten" in der Krippe nicht mit. Die meisten bringen ihr Kind sehr früh, wenn noch nicht alle da sind und holen sie ab, wenn sie nicht mehr alle da sind. Mir fiel auf, daß es montags immer ganz schlimm war. An diesem Tag sind die Kinder besonders aggressiv. Nach einem Wochenende bei Mama und Papa bedeutete es für die Kinder jedesmal eine große Umstellung, wieder in die Krippe zu müssen, was sie mit gesteigerter Aggressivität zu kompensieren versuchen oder mit Fingerlutschen.

Wenn manche Kinder es bei Gleichaltrigen nicht schaffen, der Stärkere zu sein, so schaffen sie es mit Sicherheit, wenn sie auf die kleinen, unbeholfenen Babys losgehen können. Somit haben die Babys, neben der Angst vor immer neuen Gesichtern, auch noch damit fertig zu werden, sich schlagen, kratzen, beißen, an den Haaren ziehen zu lassen. Sie weinen oft und kriegen nach einiger Zeit traurige Augen. Von Natur aus etwas vitalere Kinder entwickeln ein aggressives Gebrüll.

Bei des Essenszeiten ist es zwangsläufig so, daß ein großer Teil eine ganze Weile schreien muß, und man braucht sich ja nicht einzubilden, daß das eigene Kind immer zuerst drankommt. Auch ist es unmöglich, einem Säugling die Flasche zu geben und gleichzeitig mit ihm Blickkontakt zu haben, denn man muß die anderen Kinder alle im Auge behalten.

Mit 14 Monaten erlebte ich in der S-Bahn, daß Katrin zu allen Leuten hinging und sich an sie schmiegte. Ich bekam ein schlimmes Gefühl in der Magengegend, denn ich dachte mir, das kann nicht normal sein. Wenn sie das später auch macht, zu jedem Fremden hingeht, womöglich mitgeht – es wäre furchtbar für mich.“

„Mir sträuben sich die Haare", sagte dazu eine Mutter auf einer kürzlichen Diskussion, „wenn Kinder von morgens um 1/2 7 bis um 17 Uhr in Krippe oder Kindergarten bleiben müssen. Wo bleiben denn deren Interessen?"

Bundesweit wird ein Versorgungsgrad von 15 % Krippenplätzen angestrebt. Dies beinhaltet ein Unterhaltsvolumen – ohne Bau- und Ausbildungskosten – von 6,5 Milliarden DM jährlich. Pro Kind belaufen sich die monatlichen Kosten auf ca. 2000,-, die allerdings fast vollständig vom Steuerzahler aufzubringen sind.

Wenn es nur ums Geld geht, ist uns hinsichtlich unserer

Kinder offenbar aber kein Opfer zu groß – nur Zeit für sie haben wir nicht. Stattdessen wird das künstlich geschaffene Zuwendungsdefizit seitens der Eltern häufig durch ein Übermaß an materieller Verwöhnung zu kompensieren versucht, was die Situation aber nur noch verschärft. Wir erleben hier eine Verschiebung der Werteskala. Äußere Werte sind gefragt: Kinderzimmer und äußeres Aussehen werden durchgestylt. Kleider machen Leute. Das „outfit" muß stimmen. Die Messe „Kind und Jugend" in Köln erlebte in den vergangenen Jahren einen „Boom wie schon seit Jahren nicht mehr". Der Renner der Saison war Designer-Mode für „Minis" aus reiner Seide. Eltern und Großeltern greifen für den Nachwuchs immer tiefer in die Tasche.

Es erscheint verständlich – und es ist andererseits tragisch – daß sich Eltern von diesem Anschaffungsdruck wenigstens am Wochenende erholen müssen. In Köln gibt es für diese Zwecke – oder wenn es zur beruflichen Qualifizierung auf Seminarreise geht – jetzt das erste Kinder-Hotel: Bei Zeitmangel kann man seinen Nachwuchs in der dortigen „Kinderkiste" parken. Mit 60,- DM pro Tag ist man dabei, mit Übernachtung kostet's 90,- DM, das Wochenende von Freitagabend bis Montagfrüh beläuft sich auf 180,- DM.

Nach der Krippenzeit schließt sich später häufig der ganztägige Kindergarten- und Hortbesuch an.

So wurden in Nordrhein-Westfalen zusätzliche Horte als „Schulkinderhäuser" eingerichtet. Das Konzept sollte prüfen, inwieweit in Schulen Plätze für die Ganztagsbetreuung von Kindern angeboten werden können. Unter dem Motto „lernen und spielen unter einem Dach" wird eine durchgehende Öffnungszeit von 7.30–18 Uhr angeboten. Auch während der Ferien soll das Angebot aufrecht erhalten werden.

Nun hat allerdings der Baden-Württembergische Verwaltungsgerichtshof in Mannheim – offenbar noch nicht im Zeittrend liegend – im Oktober 1990 interessanterweise entschieden, daß öffentliche Gelder nicht automatisch zur Aufbewahrung von Kindern zur Verfügung stehen: Werde ein Kind nur deshalb in einer Tagesstätte untergebracht, um den Eltern die Ausübung eines Berufs oder den Abschluß einer Berufsausbildung zu ermöglichen, dann sei die Gewährung öffentlicher Jugendhilfe nicht gerechtfertigt. Wenn für die Unterbringung in einer Tagesstätte das Geld fehle, so das Gericht, dann gehöre es zur Abwägung zwischen Elternrecht und Elternpflicht, „entsprechenden Verzicht an ‚Selbstverwirklichung' zu leisten", also sich so einzurichten, daß genügend Zeit für die ganztägige Betreuung des Kindes zu Hause vorhanden ist (AZ: 6 S 661/89).

Psychologisch gesehen werden mit einer Milliardenförderung – vergleichbar quasi einem trojanischen Pferd – Kinder mit emotionalen Schäden und seelischen Mangelsituationen herangezogen. Denn früh deprivierte Kinder sind von einer wesentlich größeren unruhigen Gespanntheit. Ihre Lernneugier wird dadurch gemindert, ihre Konzentration erschwert, sie sind distanzloser und aggresiver. Emotional vernachlässigt und materiell verwöhnt – eigener Fernseher, Computer etc. gehören häufig schon früh zur Grundausstattung eines Kinderzimmers – wird ihnen eine Anspruchshaltung bei gleichzeitig mangelnder Arbeitshaltung geradezu anerzogen. Schulschwierigkeiten und Störungen des Sozialverhaltens sind nicht selten die Folge.

Wir registrieren daher eine zunehmende Tendenz von nervösen, motorisch unruhigen und unter Schlafstörungen leidenden Kindern. Vor einiger Zeit äußerte sich diesbezüglich sogar der Wiesbadener Landtag besorgt. Man war beunruhigt über den zunehmenden Mißbrauch von Medikamenten schon bei Kindern. Späteres Suchtverhalten werde geradezu eingeübt, so beklagte man, wenn Kinder schon im Grundschulalter lernen, Lebensschwierigkeiten mit Tabletten zu bewältigen. Man nannte es unverantwortlich, wie die Gesellschaft in diesen Bereichen mit Kindern umgehe.

Wie Recht diese Politiker haben! Dennoch kann man sich oft des Eindrucks nicht erwehren, daß es sich bei diesen Mitgefühlsbemühungen um lediglich wahltaktische Rhetorik handelt und sich kaum jemand die Mühe gibt, sich in die Situation der Kinder wirklich einzufühlen. Selbst die zur Wahrnehmung der Belange der Kinderkommission des Deutschen Bundestages fordert lediglich widerum die finanzielle Absicherung von

Kindertagesstätten und Krippen. Daß aufgrund dieser staatlich geförderten Beziehungslosigkeit im Taumel der Grenzöffnung der neuen Bundesländer 38000 Kinder von ihren Eltern alleingelassen auf der Strecke blieben, scheint vergessen zu sein. Es ist aber ein Symptom einer mangelnden Bindung und Beziehung von Eltern an ihre Kinder. Dieser Mangel an Einfühlungsvermögen in die Belange der eigenen Kinder läßt Eltern bei Verhaltensstörungen ihrer Kinder diese dann eher auch eine Pille schlucken, als sich mit ihnen – was ja zeitaufwendiger wäre – einmal selbst zu beschäftigen.

Folgerichtig kam man auf einem Essener Forum für psychosoziale Versorgung zu dem Ergebnis, daß die Kinder als schwächste Glieder oft Opfer der Auflösung traditioneller Familienbindungen seien. 20% aller Kinder attestierte man dort Entwicklungs-, Lern- und Leistungsstörungen, Verhaltensauffälligkeiten und darüberhinaus 5% behandlungsbedürftige psychische Erkrankungen. Die Beratungsfälle haben innerhalb von fünf Jahren um knapp 15% zugenommen, obwohl die Zahl der jungen Menschen in der Bundesrepublik Deutschland im gleichen Zeitraum um beinahe fünf Prozent zurückgegangen ist. Das Durchschnittsalter der betroffenen Kinder und Jugendlichen liegt bei ca. elf Jahren und ist in der Vergangenheit deutlich gesunken.

Die beeinträchtigte Bindungsfähigkeit vieler Heranwachsender zeigt sich auch in der Dauer der gewählten Partnerschaften: ca. 135000 Scheidungen gibt es jährlich in der Bundesrepublik, knapp 100000 Scheidungswaisen sind jedes Jahr davon betroffen. Die Zahl der alleinerziehenden Mütter und Väter hat sich in den vergangenen 15 Jahren verdoppelt, sie beträgt mehr als 800000 mit mehr als 1 Mio. Kinder. Immer mehr Kinder leben auch in zweit- und Drittfamilien. Der zweite oder dritte Vater oder Stiefmutter sind aber ein Risikofaktor für viele der Kinder.

„Ich möchte mal einen Papa behalten", sagte ein kleiner Junge, der den wechselnden Freunden seiner Mutter nachtrauert.

Fremdeln – ein wichtiger Meilenstein der Entwicklung

Etwa im Alter zwischen sechs und vierundzwanzig Monaten beobachten Eltern bei ihren kleinen Kindern oft ein Verhalten, das ihnen unverständlich ist: Bei Annäherungsversuchen einer dem Kind fremden Person, wendet es sich ab und sucht Schutz bei Mutter oder Vater. Kann das Kind schon laufen, weicht es vor dem Fremden zurück, klammert sich mitunter an den Beinen der Eltern fest und versteckt sich hinter ihnen. Versucht die fremde Person trotzdem eine Annäherung, fängt es vielleicht sogar an zu weinen oder zeigt andere Anzeichen heftigen Protestes – es fremdelt.

Dieses sogenannte „Fremdeln" ist ein normales Entwicklungsstadium bei gesunden Kindern und findet sich bei Säuglingen in allen Kulturen [15a]. Die Stärke und Ausprägung dieser Reaktion auf die Annäherung von unbekannten Personen zeigt allerdings eine große Variabilität und ist von Kind zu Kind verschieden. Während ein Kind mit heftigem, lautstarkem Protest reagiert, ist bei einem anderen die Ablehnung vielleicht nur an der Mimik ersichtlich.

Eltern reagieren jedoch oftmals mit Unverständnis auf dieses „unsoziale Verhalten" ihres Kleinkindes. Sie sind peinlich berührt, wenn ihr Kind dieses Abwehrverhalten auch gegenüber Nachbarn oder guten Freunden zeigt, die zu Besuch kommen. Mitunter wird das Kind deswegen sogar geschimpft und bestraft, weil es sich auf diese zuvor beschriebene Weise verhält.

Dabei wird jedoch nicht berücksichtigt, daß zwar die Eltern ihre Freunde, Nachbarn und Bekannten schon seit langem kennen, die wenigen Kontakte, die das Kleinkind zu diesem Personenkreis bisher hatte jedoch nicht ausreichen können, um eine ebenso vertraute Beziehung auch schon beim Kind entstehen zu lassen. Für das kleine Kind sind diese Personen noch Fremde, und daher ist es nur allzu verständlich, daß es sich diesen nicht vertrauten Personen gegenüber scheu und zurückhaltend verhält.

Fremdeln ist ein ganz normaler Entwicklungsabschnitt und tritt auch bei Kindern auf, die bisher in keiner Weise irgendwelche schlechten Erfahrungen mit fremden Personen gesammelt haben. Es ist auch unabhängig davon, wie freundlich oder zurückhaltend die Eltern selber Fremden gegenüber entgegentreten.

Das Auftreten des Fremdelns zeigt an, daß schon das kleine Kind gelernt hat, zwischen vertrauten und unvertrauten Personen zu unterscheiden. Es verdeutlicht, daß es eine *Bindung* zu seinen Eltern und anderen ihm nahe stehenden Bezugspersonen entwickelt hat. Es ist also ein *positiv* zu bewertendes Verhalten, welches ausdrückt, daß das Kind bindungsfähig ist.

Das Fremdeln daher beim Kind unterdrücken oder ihm mit Gewalt abgewöhnen zu wollen, wäre vollkommen falsch! So berichtete z. B. eine Mutter, daß sie – als sie erste Anzeichen des Fremdelns bei ihrem Kind bemerkte – mit ihm im Kinderwagen in das größte Menschengedränge eines Kaufhauses gefahren sei, damit es sich an fremde Personen gewöhne. Derartige Vorgehensweisen sind aber nicht nur ein Streß für das Kleinkind, sondern können sich auch negativ auf seine Sozialentwicklung auswirken. Denn Kinder, die überhaupt nicht fremdeln, die ohne Scheu auf jeden zugehen und mit jedem mitlaufen, sind distanzlos.

Distanzlosigkeit und mangelnde Bindungsfähigkeit sind andererseits gerade dann zu beobachten, wenn zu viele oder wechselnde Betreuungspersonen das Kleinkind in der ersten Lebenszeit versorgt haben. Hat das Kind keine ständige Betreuung durch dieselben Personen erfahren, sondern mußte es sich immer wieder an neue, ihm unbekannte „Bezugspersonen" gewöhnen, kann sich keine feste Bindung an diese verschiedenen Personen entwickeln. Die Beziehung ist dann nur oberflächlich und wenig dauerhaft. Dies kann dazu führen, daß auch im späteren Leben zu anderen Menschen keine tiefgehenden Bindungen hergestellt werden können; zwischenmenschliche Beziehungen sind dann häufig eher oberflächlich, dadurch aber auch weniger belastbar und leichter zerbrechlich.

Um die Voraussetzung für eine gute Bindungsfähigkeit zu schaffen, sollten Kinder daher in der ersten Lebenszeit möglichst immer mit denselben Betreuern – in der Regel den Eltern – und auch möglichst in derselben Umgebung heranwachsen können. Das Fremdeln wird dann als Zeichen einer guten Bindung gegen Ende des ersten Lebensjahres zu beobachten sein.

Selbstverwirklichung – zu Hause oder im Beruf?

Nach Ablauf der Mutterschutzfrist hat Frau L. ihren früheren Beruf wieder aufgenommen. Sie bekleidet eine verantwortungsvolle Stelle als Verwaltungsleiterin in einem Großbetrieb; die von ihr erwartete selbständige Arbeit macht ihr Spaß und gibt ihr Zufriedenheit. Lange Jahre vorher hatte sie auf diesen Posten hingearbeitet, vor etwa einem Jahr endlich war ihr „Traumziel" erreicht.

Zusammen mit ihrem ebenfalls gut verdienenden Ehemann hatte sie zuvor überlegt, ob sie als Mutter zugunsten des Familienzuwachses ihre Berufstätigkeit aufgeben oder zumindest für einige Zeit unterbrechen sollte, denn vor kurzem erst hatten sie in einem Vortrag gehört, wie nötig besonders kleine Kinder ihre Eltern brauchen. Nicht zuletzt im Hinblick auf den geplanten Hausbau entschlossen sich aber beide, daß die Mutter wegen ihres zusätzlichen Verdienstes noch einige Zeit weiter arbeiten sollte, um die in Aussicht stehenden finanziellen Belastungen tragbarer werden zu lassen. Später, wenn der Schulbeginn bevorstehe, solle die Mutter dann den ganzen Tag zu Hause bleiben und nicht mehr berufstätig sein, um bei den so wichtigen, die Schule betreffenden Fragen die dann notwendige Anleitung und Unterstützung geben zu können. Die Eltern planten, in der Zwischenzeit den kleinen Hannes bei den Großeltern unterzubringen und später dann in einer Tagespflegestelle betreuen zu lassen. Eine ideale Lösung?

Nein, keineswegs! Bei diesem Vorgehen sind Erziehungsprobleme und Verhaltensstörungen zu erwarten, können sogar vorhergesagt werden. Der täglich zweimalige Wechsel der Betreuungspersonen zu einem Zeitpunkt, an dem Konstanz und Beständigkeit notwendig sind, um eine Bindung zu einem Du aufzubauen, fördert Trennungs- und Verlassenheitsängste, führt zu einem Mangel an Bindungsfähigkeit; bestenfalls werden die leiblichen Eltern erleben, daß sich ihr Kind mehr an die Großmutter oder an die Tagesmutter bindet als an sie selbst. Es ist ein verhängnisvoller Irrtum anzunehmen, der kurze, aber angeblich intensive Kontakt am Abend zwischen müdem Kind und abgespannten Eltern sei ausreichend, um der Entstehung psychischer Störungen entgegenwirken zu können. Die Erfahrungen zeigen vielmehr, daß bindungslose Kinder nicht anders als mit Verhaltensstörungen reagieren können [43]. Nicht die „Qualität" einer Beschäftigung allein ist wichtig, sondern auch die „Quantität". Nur mit auch zeitlich ausgiebiger Gemeinsamkeit können emotionale Bindungen entstehen, aus denen das Gefühl erwachsen kann, sich verantwortlich zu fühlen, sowie Eltern und Geschwister liebhaben und akzeptieren zu können und auch mit sich selbst zufrieden zu sein.

In dem geschilderten Beispiel von Hannes entsprach die weitere Entwicklung nicht den geplanten Vorstellungen der Eltern: aufgrund unterschiedlicher, unvereinbarer Erziehungsauffassungen zwischen Eltern und Großeltern beschlossen die Eltern, den strapazierten Familienfrieden dadurch wieder herzustellen, daß Hannes vorzeitiger als ursprünglich vorgesehen in eine Tagespflege gegeben wurde, wo er jeden Morgen von seiner Mutter abgegeben und spätnachmittags nach Büroschluß von ihr wieder abgeholt wurde. Eine gute Lösung? Sicher eine bessere, als wenn Hannes in einem Heim oder einer Kinderkrippe untergebracht worden wäre, aber dennoch eine Fehlentscheidung, welche seine Entwicklung von Anfang an beeinträchtigte: weder die Eltern lernten Hannes noch er sie während dieser Zeit richtig kennen; alle Reifungsschritte seiner Entwicklung fanden außer Haus statt. Am Abend und am Wochenende war die Zeit immer viel zu kurz, um sich wieder aneinander zu gewöhnen. Nach einigen Monaten reagierte Hannes sogar mit Abwehr gegen seine Mutter, wenn sie ihn abends wieder nach Hause holen wollte. Er *fremdelte* mit sieben bis acht Monaten sogar ihr gegenüber und suchte weinend Schutz bei der Tagesmutter: er hatte sich an diese mehr gebunden und sie mehr als seine Mutter akzeptiert als seine leibliche Mutter, die sich ratlos-eifersüchtig von ihrem eigenen Sohn abgelehnt und enttäuscht fühlte. Das hatten die Eltern nicht gewollt.

Ähnlich erschreckt wachen immer wieder Eltern aus gutmeinender Ahnungslosigkeit auf, nachdem sie Veröffentlichungen – nicht nur der Laienpresse – vertrauend, die erste Lebenszeit als nicht sonderlich bedeutsam, als „dummes erstes Vierteljahr" verstanden hatten, in dem noch bedenkenlos und unschädlich für das Kind Bezugspersonen nach Belieben ein- und ausgetauscht werden könnten. Unter anderem hat hier das *Modellprojekt Tagesmutter* erheblichen, kaum wiedergutzumachenden Schaden angerichtet, weil mit pseudowissenschaftlicher Argumentation den Eltern suggeriert wurde, daß Kinder, die in dieser Institution betreut worden waren, sich ebensogut entwickelt hätten wie ausschließlich in der eigenen Familie erzogene Kinder [77, 78]. Dabei wurde verschwiegen, daß das vermeindlich gleich gute Abschneiden nur erreicht werden konnte, weil „eine gezielte Förderung einzelner Kinder beim Auftreten von Entwicklungsverzögerungen oder anderer Vehaltensauffälligkeiten" [66] innerhalb des Modells unumgänglich war. Mit einem wissenschaftlich nicht haltbaren Vorgehen – allerdings mit einem finanziellen Aufwand von annähernd zehn Millionen Mark – wurde eine pseudowissenschaftliche Exaktheit vorgekaukelt, eine „wissenschaftliche Begleitung" des Modellversuchs, die bereits vorher postulierte Vorteile einer kollektiven Erziehung von Kleinkindern bestätigen sollte: Bereits 1972 wurde eine „Verlagerung der Erziehung ... aus dem Bereich der Familie in die Zuständigkeit öffentlicher Erziehungseinrichtungen" [25] diskutiert. Das Modell wurde begonnen, obwohl die Besetzung des mit der Durchführung beauftragten Institutes nicht ausreichte, „um die Minima einer fachlich fundierten Modelldurchführung zu sichern" [27]. Wenn auch in jüngster Zeit in familienpolitischen Äußerungen allgemein wieder mehr die Bedeutung der Familie auch für das Kleinkind diskutiert wird, so sind als Folgen der Fremdbetreuungskampagne vielen Eltern die damaligen Beteuerungen und Versicherungen doch noch als Leitlinie im Bewußtsein, besonders, da eine Distanzierung von dieser fragwürdigen Erziehungsideologie bisher nicht stattgefunden hat.

Statt dessen wird die berufstätige Mutter und Hausfrau noch mehr verunsichert, da ihr zugemutet und sie umworben wird, einerseits in einem Beruf „ihren Mann zu stehen", andererseits die Mutter, Hausfrau und liebende Gattin zu sein. Selbstsichere-energische Männlichkeit und zärtlich-liebevolle Weiblichkeit soll sie sich im Acht-Stunden-Tag über- und abstreifen wie das tägliche Hemd. Eine Bewußtwerdung der eigenen Funktion und Aufgabe als Mutter wird nicht gefördert, statt dessen ein reibungsloses Funktionieren im Interesse der Wachstumsgesellschaft erwartet.

Die Erleichterung der Berufstätigkeit auch von Müttern kleiner Kinder ist einhergegangen mit einer Abwertung der Hausfrauentätigkeit. Der „Nur-Hausfrau", dem „Heimchen am Herd" wird „zwischen Kind, Küche und Kirche eine rasch fortschreitende Verblödung garantiert" [51]. Allein die Selbstverwirklichung der Frau im Beruf könne deren Zufriedenheit und Ausgefülltsein bewirken, so wird verkündet, die Emanzipation vom Mann und Kind verheiße die langersehnte Befreiung von abhängig machenden Herrschaftsstrukturen. Konsumorientiertes Denken, materielle Vorteile und das Streben nach einem Mehr an persönlicher Freiheit stehen im Vordergrund ihres Handelns [83].

Der Vergleich einer Hausfrau und Mutter mit einer außerhäuslich Berufstätigen erweckt bei Müttern nicht nur einen berechtigten Wunsch nach Einkommen und freier Zeit, sondern auch eine überspitzte Forderung nach Freizeit. Die Zeit, die für die Pflege und Erziehung des Kindes erforderlich ist, wird dann als Arbeitszeit empfunden, die zu einem entsprechenden Anspruch auf Freizeit berechtige – freie Zeit selbstverständlich ohne das Kind [32]. Kinder dienen dann lediglich der Ausschmückung der eigenen Existenz, die man sich „anschafft" (wobei durchaus auch die Überlegung angestellt wird, ob nicht die Anschaffung eines Hundes kostengünstiger und wirtschaftlicher sei). Das Kosten-Nutzen-Denken droht teilweise so weit das innerfamiliäre Leben zu verseuchen, daß Opferbereitschaft, Bescheidenheit und Demut zugunsten einer lebendig-fröhlichen Familie der Sucht der Ich-Bezogenheit geopfert werden. „Hält" man sich dennoch Kinder, sucht man in

Erziehungsbüchern nach Gebrauchsanweisungen für ein möglichst reibungsloses Funktionieren und eine erfolgreiche Entwicklung dieser „Wachstumsbranche". Aber keine Entwicklungs*programme*, die Einstellung und das Bemühen sind in erster Linie entscheidend! Die individuelle Einzigartigkeit eines jeden einzelnen Kindes kann nicht mit beziehungslos-normierten Pflegeanleitungen à la George *Orwell* und *Aldous Huxley* zur Entfaltung gebracht werden. Die Liebe der Mutter und des Vaters zu ihrem Kind, erst das geduldige Hinhörenkönnen und Lauschen, das Be-achten der Bedürftigkeiten des Kindes läßt jenes feine Gespür bei den Eltern entstehen, das sie helfende Anregungen und die der jeweiligen Entwicklungsstufe angemessene Förderung sicher vollziehen läßt.

Die Tatsache, daß sich Eltern Zeit nehmen und anwesend sind – und dieses gilt für einen Vater ebenso wie für die Mutter –, ist eine der wichtigsten Voraussetzungen – wenngleich keine Garantie – für eine störungsfreie Entwicklung der Kinder.

Trennungen sind in jedem Fall entwicklungserschwerend. Auch bei einer nur kurzdauernden Trennung, wie bei täglicher Fremdbetreuung, zeigen einjährige Kinder ähnliche Reaktionen der Angst und des Verlassenwerdens wie bei länger andauernder Trennung [46]. Wiederholte Trennungen von der Mutter führen nicht zu mehr Vertrautheit gegenüber Fremden, sondern zu einer besonders intensiven Anklammerung und Fixierung an die Mutter. Wenn das Kind Grund hat, der Beständigkeit der Mutter zu mißtrauen, beeinträchtigt diese Unsicherheit sein Spielverhalten; dann kann auch die Gegenwart der Mutter kaum mehr Spiel- und Erkundungsverhalten hervorbringen [46].

Andere Untersuchungen zeigen, daß das Spiel zweijähriger Kinder um ein Viertel nachließ, wenn sie mit einer fremden Person allein gelassen wurden [44, 46]. Wenn man diese Kinder ganz allein ließ, verringerte sich ihr Spielverhalten um die Hälfte. Die Trennung beeinflußte auch die Aktivität der Geschwister und Altersgenossen untereinander, und es entwickelten sich nur wenig befriedigende Beziehungen [40]. Kinder, die aufgrund von Mehrfachbetreuung nur eine unsichere Bindung entwickeln können, sind aggressiver und distanzloser [46].

Eine frühe Trennung wird häufig auch damit zu rechtfertigen versucht, daß ein allzu intensiver Kontakt zur Mutter der Entwicklung abträglich sei und die notwendige Ablösung erschwere. Dies trifft aber nur in den seltenen Fällen einer angstvollen Überbehütung oder Ablehnung des Kindes durch die Mutter zu. Im allgemeinen ist eher das Gegenteil der Fall. Die tatsächlich beobachtbare engere Bindung und erschwerte Ablösung entsteht erst durch die Unsicherheit einer erlebten oder ständig drohenden Trennung. In der Annahme, Quantität an Zuwendung sei durch „Qualität" zu ersetzen, werden mehr oder weniger bewußte Schuldgefühle der Eltern durch übertriebene Zärtlichkeiten auszugleichen versucht. Dieses fördert jedoch eher eine Symbiose, in der – aus Angst verlassen zu werden – nicht das Gefühl der Sicherheit entstehen kann, das Verselbständigungs- und Ablösungsbestrebungen ermöglicht. Durch ihre Wiedergutmachungsbestrebungen sind diese Eltern in ihren Möglichkeiten, später Grenzen zu setzen, erheblich eingeschränkt. Sie reagieren dann selbst auf Wut und Trotz noch mit Zuwendung. So lernt das Kind zusätzlich, provokatorisches Verhalten zur Durchsetzung des eigenen Willens anzuwenden. Die häufig zitierten Beispiele aus der Nachbarschaft, wo Kinder sich während des ganzen Tages allein überlassen sind und angeblich dennoch prächtig gedeihen, sind mit Vorsicht zu genießen: bei genauerem Hinsehen findet man nur allzu häufig übermäßig aggressive oder aber resignierte und apathische Kinder, die gedankenverloren allein im Sandkasten schaufeln, durch ihre Ruhe allerdings ihren Eltern gegenüber ein erwünschtes Verhalten zeigen, dessen labile Basis jedoch spätestens in der Pubertät erkennbar wird.

Andererseits bietet die Betreuung durch die Mutter während der ersten Lebensjahre unschätzbare Vorteile und die beste Gewähr für eine spätere harmonische Entwicklung des Kindes. Dieser Einsatz an Zuwendung stellt eine Investition dar, die sich später vielfach bezahlt macht, nicht zuletzt durch ersparte Therapiekosten, Nachhilfegelder oder Internatskosten. Kinder, die durch die Anwesenheit der Mutter eine sichere Bindung entwickeln können, zeigen ein lebhafteres und interessierteres Spiel- und Erkundungsverhalten [46]. Sie sind gegenüber Anweisungen gehorsamer [42, 46], können besser mit anderen Personen zusammenarbeiten und entwickeln positivere zwischenmenschliche Beziehungen.

Welche Bedeutung das in dieser Altersstufe erworbene Bindungsverhalten auch später noch hat, zeigt die Erfahrung, daß bei Eltern, „die in ihrer Kindheit den Wechsel und die Trennung von Bezugspersonen erlebt haben, die Mütter eher dazu neigen, ebenfalls wieder berufstätig zu werden" [81]. Ebenso wählen Erwachsene, die in der Kindheit den Ausfall von Personen aus dem Familienverband erlebt haben, eher ungünstigere Personen als Partner, nämlich solche, von denen sie wieder verlassen werden [81]. Die zunehmende Scheidungshäufigkeit und abnehmende Kinderzahl beweist die statistische Hochrechnung: 1991 wurden 136000 Ehen geschieden. Diese bedrohliche Entwicklung wurde in einer Wiener Untersuchung fortgeschrieben und hochgerechnet mit dem erschreckenden Ergebnis, daß – vorausgesetzt, daß der derzeitige Entwicklungstrend anhält – „bis zum Ende des Jahrhunderts rund 85 % der Ehen mindestens ein Mal geschieden werden, und eine Verlängerung dieses Trends bis zum Jahre 2075 ergibt, daß bis dahin alle Ehen mindestens zweimal geschieden werden" [18]. Selbst wenn man berücksichtigt, daß dieser Trend möglicherweise durch verschiedene Faktoren in seiner Geschwindigkeit reduziert wird, zeigt er doch, wie dringend notwendig es ist, bei der Erziehung unserer Kinder Sorgfalt walten zu lassen, um diese schreckliche Szenerie nicht eintreten zu lassen.

Obgleich seelisch gesunde Mütter um die Bedürfnisse ihrer Kinder in den ersten Lebensjahren intuitiv Bescheid wissen, fühlen sich manche dennoch außerstande, ihnen das notwendige warme und behagliche Nest zu bieten, da sie selbst sich durch die unterschiedlichen, an sie herangetragenen Trends überfordert fühlen. Ist sich die Ehefrau der Unterstützung ihres Mannes nicht sicher, der wenn er auch nicht immer gegenwärtig, so doch zumindest ermutigend, mitdenkend und mitfühlend seine Frau geistig und auch mit zupackend unterstützen sollte, kann die Mutter die von ihr als Selbstverständlichkeit erwartete Erfüllung der Erziehungsaufgabe der Kinder nur unter großem Kraftaufwand oder gar nicht leisten. Ihre enttäuschte, mißmutig-abgespannte und gereizte Stimmung überträgt sich auf die ganze Familie. Ehekonflikten, Ängsten und sexuellen Störungen bei beiden Partnern wird der Boden bereitet, ein Teufelskreis entsteht, in den die Kinder mit einbezogen werden.

Nur eine Aufwertung der bedeutenden Funktion der Hausfrau und Mutter sowie die Bewußtwerdung und die Anerkenntnis ihrer Bedeutung für Kind und Familie läßt Familien gesund bleiben und wieder gesund werden. Und diese Anerkenntnis muß in jeder einzelnen Familie tagtäglich aufs neue geschehen! Nur so können Mütter ihre Aufgabe akzeptieren, ihre Kinder liebevoll und zuverlässig zu betreuen und ihnen eine tragfähige, emotionale Grundlage für ihre Entwicklung zu geben. „Kein Mensch hält es auf die Dauer aus, in einer Rollenfunktion zu leben, die keine Anerkennung durch ihre Umwelt erfährt" [51]. Diese Aufwertung muß vor allem in der Öffentlichkeit durch familienpolitische Programme gefördert werden, ist aber auch eine tagtäglich zu erfüllende Aufgabe in der Familie, insbesondere auch eine Aufgabe des Mannes.

Gewöhnung zur Sauberkeit

Frau M. ist verzweifelt: Soeben hat ihr die Nachbarin stolz berichtet, daß ihre einjährige Susanne tagsüber bereits vollkommen sauber und trocken sei! So weit sei ihre Tochter dank des unermüdlichen Bemühens der Mutter schon entwickelt, daß Susanne diese „Leistung" bereits regelmäßig erbringe. – Jan ist bereits drei Monate älter, und seine Mutter hat bisher lediglich zufällig sein „Geschäft" erwischen können. Ist er deswegen in seiner Entwicklung zurück?

Mit zunehmendem Alter des Kindes erwarten Eltern ganz selbstverständlich, daß ihr Kind die Ausscheidungsvorgänge mehr und mehr doch am rechten Ort erledigen möge, damit sie von der hiermit verbundenen Belastung entlastet würden. Sie haben inzwischen nun schon so viele Windeln gewechselt, daß das Einnässen und Einkoten doch allmählich unterbleiben könnte. Nicht bedacht und in diese Überlegungen nicht mit einbezogen wird dabei allerdings die notwendige körperliche und seelische Reifung des Kindes, ohne die eine Sphinkterkontrolle und somit das gewünschte „Geschäft" nicht willkürlich und bewußt vollzogen werden kann:

Erst wenn die Kinder sicher und selbständig laufen können, und sich auch sprachlich schon etwas sinnvoll – wenn auch kleinkindhaft – mit Laut- und Wortformulierungen zu äußern in der Lage sind, sollte allmählich eine vorsichtige Gewöhnung an den Topf versucht werden. In der Regel ist das erst jenseits des zweiten Lebensjahres sinnvoll.

Das bedeutet jedoch nicht, daß diese Fähigkeit bzw. „Leistung" von einem bestimmten, fixierten Lebensmonat ab erreicht und beherrscht werden müßte. Das Entwicklungstempo und die Bereitschaft des Kindes zur Abgabe sind individuell sehr verschieden. Ungeduld, Strenge oder gar Zwang führen – ebenso wie zu frühe „Sitzungen" – keineswegs zu einem schnelleren Erfolg, sondern bewirken häufig genau das Gegenteil: das Kind bekommt eine Abneigung gegen den Topf, ist nicht mehr dazu zu bewegen, darauf sitzen zu bleiben, es beginnt die „Abgabe“ zurückzubehalten und will nichts mehr hergeben. So kann auf diese Weise eine psychisch bedingte Verstopfung entstehen. Die vorher noch harmonische Mutter-Kind-Beziehung wird getrübt bis gereizt, und es kann sich ein Machtkampf entspinnen um's Hergebenmüssen, Behaltenwollen und letztlich das Durchsetzen des eigenen Willens.

Der Einfluß dieses sogenannten analen Bereiches auf die seelische Entwicklung auch in späteren Jahren wird leicht immer noch unterschätzt. Man denkt nicht darüber nach und macht sich nicht bewußt, daß die Exkremente des Körpers vom Kind anfangs quasi noch als ein ihm gehörendes Eigentum betrachtet werden, etwas, das es stolz „produziert“ und allenfalls den Eltern als Geschenk hergibt. Dieser Zusammenhang und die Gleichsetzung von Besitz und Exkrementen wird im Volksmund sogar noch bei Erwachsenen gesehen, wenn man z. B. sagt, jemand habe einen „Haufen“ Geld. Auch im Märchen vom Goldesel speit das gute Tier Goldstücke aus „hinten und vorn“.

Wird nun zu einem Zeitpunkt, an dem das Kind mehr und mehr sich gegenüber anderen Personen abzugrenzen beginnt, erste Ansätze eines eigenen Willens erprobt und versucht, sich selbst zu behaupten, allzu fordernd und mit Strenge genau das unter Druck entzogen, worauf es als erste eigene Leistung stolz zu sein beginnt, kann als Reaktion hierauf eine bewußte Verweigerung dieser Leistung, ein Nicht-Hergeben, sondern Behaltenwollen eintreten. Behalten Eltern dieses beharrende Verlangen bei, kann sich hieraus sogar eine generelle Haltung der Abwehr und der Leistungsverweigerung gegenüber Anforderungen auch anderer Art entwickeln. Solch eine ungeduldig-fordernde Haltung wird sich in der Regel nicht nur auf dem Gebiet der Sauberkeit auswirken. Auch in anderen Lebensbereichen besteht die Gefahr, daß das Kind sich schon früh überfordert und unter einen erdrückenden Leistungsdruck gestellt fühlt.

Das soll nun nicht heißen, daß keinerlei Anforderungen gestellt werden dürfen, sie sollten allerdings altersgerecht sein. In

Bezug auf die Sauberkeitsgewöhnung bedeutet dieses, daß man – beginnend mit etwa zwei Jahren – durchaus versuchen kann, etwa zwei oder drei Mal am Tag das Kind zu den Zeiten auf den Topf zu setzen, während denen Stuhlgang von der Mutter beobachtet wurde. Das kann z. B. im Anschluß an die Mahlzeiten sein. Bei diesen „Sitzungen" sollte man jedoch darauf achten, wie das Kind auf den Topf reagiert: Bleibt es bereitwillig sitzen, kann es dort länger belassen werden, als wenn es unruhig und protestierend immer wieder aufzustehen versucht. Auch sollte das Kind nicht auf dem Topf allein gelassen werden. Es hat sich bewährt, daß Vater oder Mutter währenddessen durch gemeinsames Spiel und Sprechen die Zeit angenehm gestalten. Bei Erfolg muß das „Produkt" natürlich gebührend bewundert, evtl. auch mit einem Stückchen Schokolade belohnt, zumindest das Kind aber verbal gelobt werden für diese Leistung, die es den Eltern zuliebe vollbracht hat. Bemerkungen des Abscheus oder des Ekels sollten tunlichst vermieden werden, da dem Kind dadurch das Gefühl vermittelt wird, „daß das, was es macht, nichts taugt, schlecht ist, gerade gut genug, um es eiligst verschwinden zu lassen" [70]. Eine positive Einstellung auch zu späteren Leistungsanforderungen wird stattdessen besser erreicht, wenn kindgemäß auf die Bedeutung dieser regulativen Körperfunktion hingewiesen wird, wie etwa mit den Worten, daß nun wieder Platz geschaffen sei, um neue Nahrung aufzunehmen.

Ein günstiger Zeitpunkt, um mit der Sauberkeitserziehung zu beginnen, ist der Sommer. Wenn das Kind im Garten oder im Urlaub ohne Hose herumlaufen kann, entdeckt es oft sehr schnell, die eigene Ausscheidung zu beachten und auch die Möglichkeit, diese willentlich beeinflussen zu können. Das unangenehme Empfinden der nicht beherrschten Darm- und Blasenkontrolle fördert das eigene Bemühen, diese Funktionen gezielt regulieren zu wollen. Das elterliche Lob hilft auch bei diesen Anstrengungen entscheidend mit. – Ein Hilfsmittel, das darüber hinaus auch den Kindern Spaß bereitet, kann ein sogenannter Musiktopf sein. Wird ein derartiger Topf vom Kind erfolgreich benutzt, so erklingt eine Spieluhr, deren Melodie das Kind als unmittelbare Belohnung empfindet. Zwei elektrische Kontakte – des mit einer Batterie betriebenen Gerätes – schließen bei der ersten Feuchtigkeit im Topf einen Stromkreis, worauf dann das Lied ertönt.

Von einer zu behandelnden Erkrankung der *Enuresis* (Einnässen) oder *Enkopresis* (Einkoten) spricht man im allgemeinen erst dann, wenn das Kind noch jenseits des dritten oder vierten Lebensjahres einnäßt oder einkotet. In diesem Fall sollte nicht nur ein Kinderarzt, sondern auch ein Kinderpsychologe bzw. Kinderpsychotherapeut zu Rate gezogen werden, um die individuellen – bei jedem Kind anders gelagerten – Ursachen herauszufinden*. Das ist wichtig, weil insbesondere das Einnässen häufig ein Erstsymptom einer seelischen Beunruhigung sein kann [51]. Denn findet dieses erste Notsignal keine verständnisvolle Beachtung durch die Eltern, so besteht die Gefahr, daß sich weitere Verhaltensauffälligkeiten und Beeinträchtigungen in der Entwicklung einstellen werden. Strafaktionen der Eltern wie etwa das Einhalten einer bestimmten Diät, ab dem Nachmittag weniger oder nichts mehr zu trinken geben, häufiges zur Toilette schicken, nächtliches Aufnehmen, Schläge oder andere „gutgemeinte" Strafmaßnahmen, sind dagegen nicht nur unnütz und helfen dem Kind nicht, sondern beinhalten die Gefahr, das Leiden zu verschlimmern und zu chronifizieren. Trost und Zuwendung sind stattdessen wichtig und vonnöten! Das Kind leidet unter seiner bewußt erlebten Schwäche bereits genug. Nicht Drohungen mit dem „Onkel Doktor" helfen – sie erschweren nur unnütz spätere Behandlungsversuche –, sondern die von beiden Eltern getragene Zuversicht und Hoffnung, daß man gemeinsam diese Klippe schon bewältigen werde. Ein bettnässendes Kind ist kein Aussätziger und kein „Stinktier", um das man einen großen Bogen machen muß, sondern gerade dieses Kind braucht besonders viel Zuwendung und Liebe! Liebende Voraus-Schau bei der Sauberkeitsgewöhnung hilft hier besonders, mögliche „Überschwemmungen" von Anfang an mit Vorsicht zu umschiffen.

---

* Hinweise zur Therapie finden sich in dem Band Schetelig, H.: Kindernöte – verstehen und helfen. Herder Nr. 92.

Das glücklich erreichte Ziel des Trocken- und Sauberwerdens – wobei die Abgabe des Stuhls in der Regel eher möglich ist als ein Beherrschen der Blasenfunktion – kann jedoch durch Rückfälle gefährdet werden: Die Geburt eines Geschwisters, das subjektive Erleben, sich nicht genügend geliebt und angenommen zu fühlen, oder auch andere negative Erlebnisse können den bereits erreichten Erfolg wieder zunichte machen: Besonders, wenn ein Einnässen oder Einkoten am Tag geschieht oder Kinder sich „verspielen", meinen Eltern oft, daß dieses Malheur bewußt und aus böser Absicht ihnen gegenüber geschieht, um sich z. B. für ein zuvor ausgesprochenes Verbot zu rächen. In den allermeisten Fällen wird dieser Rückfall aber nicht vom Kind provoziert! Wenn es in dem einen oder anderen Fall doch so sein sollte, ist dieses eher ein Alarmzeichen dafür, daß der vertrauensvolle Kontakt zwischen Kind und Eltern, das Dasein füreinander und der gegenseitige Respekt beeinträchtigt und gestört wurde, so daß dem Kind mit seinen noch beschränkten Ausdrucksmöglichkeiten kein anderes Mittel zur Verfügung stand, um hierauf aufmerksam zu machen. Möglicherweise fühlt es sich gegenüber dem neuangekommenen, aber – unbewußt – durchaus nicht erwünschtem Geschwister zurückgesetzt, mit dem es nun die Liebe der Eltern teilen muß. Ein aufmerksames Beobachten des Kindes und ein um Verstehen bemühtes miteinander Sprechen läßt jedoch oft recht deutlich die Ursachen dieser Reaktion, dieses sich Zurückziehens auf eine frühere Entwicklungsstufe deutlich werden. Die Gründe hierfür – auch wenn sie noch so belanglos erscheinen mögen – sind ernst zu nehmen!

Liebe und Konsequenz

Während im ersten Lebensjahr ein Kind kaum verwöhnt werden kann, darf jenseits dieser Entwicklungsstufe allmählich und behutsam auch die Notwendigkeit von Grenzziehungen ins Auge gefaßt werden. Die zunehmende Reifung und Sicherheit der körperlichen Funktionen macht es dem kleinen Sohn oder der kleinen Tochter immer mehr möglich, auch in übertragenem Sinne auf eigenen Beinen zu stehen und voll Tatendrang auf Entdeckungsreise zu gehen: Alle beweglichen Dinge in der Wohnung bekommen plötzlich eine ungeheure Anziehungskraft und den Aufforderungscharakter, die erwachenden eigenen Kräfte an ihnen zu messen. Stühle werden geschoben, Bodenvasen in bedrohliches Schwanken versetzt und das zu weiterem Zupacken reizende Geräusch des Zerreißens der Tageszeitung ausgekostet. Schubladen und Schranktüren werden geöffnet und darin weitere ungeahnte Neuigkeiten entdeckt, die nach Herzenslust am liebsten in der ganzen Wohnung verteilt würden. Bücher und Zeitschriften haben ihren ganz individuellen Reiz, lassen sich doch auf jeder Seite neue Dinge entdecken, und allein schon das Hin- und Herblättern – zum Leidwesen der Eltern oft mit klebrigen Fingern – kann ein Hochgefühl des eigenen Könnens vermitteln.

Spätestens an dieser Stelle sieht sich mancher Vater in der Regel zum Eingreifen gezwungen, der bisher in nervös-geduldiger Zurückhaltung dem Forscherdrang des eigenen Nachwuchses mit Bangen gefolgt war. Grundwerte seiner Existenz und Lebensphilosophie sieht er angetastet, dem er meint Einhalt gebieten müssen. Und das ist durchaus richtig und notwendig!

Als Überbleibsel aus der Zeit der antiautoritären Erziehung wird oft gemeint, nur die grenzenlose Freiheit in der Erziehung biete die alleinige Gewähr dafür, daß Kinder später nicht untertänig und duckmäuserisch eigene Wünsche, Ideen, Phantasien und Antriebsregungen ungelebt ließen. Es ist zwar richtig, daß in diesem Geiste unerzogen-erzogene Kinder ihre Wünsche später lautstark artikulieren können. Ein zweifelhaftes In-den-Vordergrund-Rücken des eigenen Egoismus, der bei immer mehr Kindern anzutreffen ist. Doch lehrt die Erfahrung, daß grenzenloses Habenwollen, gieriges Verlangen nach Sofortbefriedigung und die maßlose Anspruchshaltung, sich selbst als Maß aller Dinge zu verstehen, in keiner Weise ein wirklich zufriedenes Leben ermöglicht, kein harmonisches Zusammenleben in der Familie, welches immer auch eine Toleranz gegenüber den Wünschen des anderen verlangt.

Das bedeutet nicht, daß Eltern, die den Mut haben, ihren Kindern auch einmal etwas abzuschlagen und zu verbieten, deren Wünsche und Bedürfnisse grundsätzlich verleugnen müssen. Man würde moderne Erziehungsfromen mißverstehen, wenn man meinte, keine Grenzen mehr setzen zu dürfen. Im Gegenteil: Die expansiven Bestrebungen und die Experimentierfreudigkeit der Kinder können viel eher berücksichtigt und noch durch gemeinsames Tun gefördert werden, wenn eindeutig klar ist, daß dieses Ausprobieren in diesem oder jenem Zimmer mit jeweils bestimmten Dingen erfolgen *darf*, andererseits andere Bereiche für diesen Zweck jedoch nicht zur Verfügung stehen, sondern tabu sind.

Wenn man nun versucht, diese aufgezeigten Prinzipien jenseits des ersten Lebensjahres etwas mehr zu berücksichtigen, ist damit jedoch keineswegs gemeint, ab diesem Zeitpunkt die bisherige verständnisvolle Liebe abrupt einer peniblen Ordnungssucht weichen zu lassen. Vielmehr muß die Grundhaltung des bejahenden Begleitens dem Kind gerade dann vermittelt werden und für es erfahrbar sein, wenn eben einmal nicht jeder heiß ersehnte Wunsch erfüllt werden kann. Das bedeutet zu trennen zwischen einer grundsätzlichen emotionalen Akzeptanz und einer Grenzsetzung oder Kritik aus sachlichen Gründen.

In unserer Überflußgesellschaft mit – trotz abnehmender Kinderzahl – ständiger Zuwachsrate der Spielzeugindustrie, wird es uns allzu leicht gemacht, durch materielle Zuwendung allein uns schon liebenswert erscheinen zu lassen. Doch die sich auf materielle Zuwendung gründende „Liebe" der Kinder ist nicht nur vordergründig und meint nicht uns wirklich, sondern erweist sich durch zunehmende Forderung dessen, was zunächst freiwillig geschenkt wurde, als ein Faß ohne Boden. Besonders Großmütter sind an dieser Stelle sehr gefährdet, durch Verwöhnung eine fordernde Anspruchshaltung des Kindes zu unterstützen. Erziehung verlangt immer auch ein ebenso liebevolles, wie klares und bestimmtes „Nein"!

Dieses Aufzeigen und Hinführen zum Akzeptieren von Grenzen kann behutsam nach und nach geschehen. Kinder sind sehr viel eher bereit, diese Grenzen zu respektieren, wenn für sie von Anfang an klar war, daß z. B. der Kleiderschrank der Eltern nicht zum Spielinventar hinzugehört. Erlaubt oder duldet man stillschweigend – aber im Grunde nicht billigend – erst eine Zeitlang diese Unternehmenslust am ungeeigneten Objekt, so wird die daraus entstehende Situation in jedem Fall schwieriger, keineswegs einsichtig sondern letzlich unverständlich für das Kind: Es kann nicht verstehen, warum es z. B. Schallplatten im Beisein der Mutter fröhlich ein- und auspacken darf, Mutter jedoch plötzlich wütend wird, wenn es auch die Biegefestigkeit dieser schwarzen Scheiben ausprobieren möchte. Kinder müssen nun einmal ausprobierend und experimentierend die Welt kennenlernen; hierzu sollte jedoch nichts herangezogen werden, was so kostbar oder zerbrechlich ist, daß Eltern diese Belastungsversuche nur in ständiger Angst und eben nicht billigend aushalten können. Erziehung wird unecht und unglaubwürdig, wenn man aus fragwürdigen ideologischen Vorstellungen heraus vorgibt oder so tut, als störten diese gefährlichen Experimente nicht, als hinge man gar nicht an dem schönen Wandbehang, dem nun mit der Schere zu Leibe gerückt werden soll. Die Scherben *eines* Meißner Tellers oder die Fetzen der Fernsehillustrierten vom Tage sind vielleicht noch zu verkraften. Der Unmut steigt jedoch, unmerklich zwar, aber unaufhaltsam, bis er sich schließlich dann doch am Kind entlädt. Man muß nicht meinen, dieses Strapazieren der eigenen Geduld zur Förderung der Entwicklung seiner Kinder aushalten zu müssen. Das unabwendbare Donnerwetter trifft sonst mit einer Heftigkeit ein, die in bezug auf den Anlaß dann eine unangemessene Härte darstellt und für das Kind zudem unverständlich „aus heiterem Himmel" erfolgt. Soweit sollte man es gar nicht erst kommen lassen, daß man sich in seinem Ärger und seiner Enttäuschung nicht mehr beherrschen kann; *rechtzeitiges* Einschreiten und das Aufzeigen von Grenzen sind nicht nur hilfreicher, sondern unverzichtbar und unumgänglich notwendig!

Unangebrachte Härte, die Vater oder Mutter verständlicher- und berechtigterweise anschließend wieder leid tut, veranlaßt dazu, eigene Fehler wieder gutzumachen, oder aber der Ehepartner fühlt sich als ausgleichendes Element hierzu verpflichtet. Wie schön und richtig ist es, wenn Eltern an dieser Stelle den Mut haben, eigenes Fehlverhaltens vor ihren Kindern zuzugeben und sich dafür zu entschuldigen. Keineswegs bricht man sich durch diese Rücknahme eines falschen Verhaltens oder einer fälschlichen Beschuldigung einen „Zacken" aus der „Krone". Im Gegenteil: Kinder lernen an unserem Vorbild, unberechtigte und ungerechte Erziehungsmaßnahmen aufgrund von Abgespanntheit und Gereiztheit der Eltern zu relativieren, müssen dieses nicht als normales Erziehungsverhalten hinnehmen. Da zudem unser elterliches Verhalten von den Kindern nachgeahmt wird, bewirkt das positive Vorbild – eigene Fehler einzugestehen, daß auch die Kinder eher bereit werden, ihrerseits es zuzugeben, wenn sie sich einmal nicht ganz richtig verhalten haben.

Verkehrt und irritierend für Kinder ist es dagegen, wenn Eltern eigene Schuldgefühle durch übertrieben materielle Zuwendung oder durch großzügiges Erlauben von normalerweise Verbotenem wieder zu besänftigen versuchen. Kinder wissen dann erst recht nicht mehr, was eigentlich verboten oder erlaubt ist. Da sie diese Differenzierung nicht mehr einsichtig nachvollziehen können, werden sie vermehrt versuchen, durch Quengeln und Nörgeln regelmäßig und immer zu dürfen, was zunächst nur als einmalige Ausnahme und Wiedergutmachung gedacht war. Gibt man, um endlich Frieden zu haben, diesem Drängeln schließlich nach, ist die damit erkaufte Ruhe dennoch nur von kurzer Dauer: denn die Kinder haben gelernt, daß sie Vater oder Mutter nur lange genug mit Quengeleien bearbeiten und weichklopfen müssen, um auf diese Weise beinahe alles zu bekommen, wonach ihnen gelüstet. Außerdem lernen sie auch, daß Verbote und Einschränkungen gar nicht ernst genommen werden müssen, weil man sie mit genügender Ausdauer ja doch ins Gegenteil verwandeln kann.

Schwierig wird die Situation besonder dann, wenn Vater erlaubt, was Mutter verbietet. Väter stehen hier mitunter in derselben Gefahr der unreflektierten und für sie bequemen Verwöhnung wie Großeltern; abends müde von der Arbeit heimkommend, meinen sie, sich ihren Kindern bereits genügend zuzuwenden, indem sie Verbote der Mutter aufheben. Dadurch stiften sie jedoch ert recht Unruhe, anstatt die wenige verbleibende Zeit mit Spielen, Geschichtenvorlesen oder Basteln sinnvoll zu nutzen. Eine derartige Hü-und-Hott-Erziehung führt dazu, daß Kinder Vater und Mutter gegeneinander auszuspielen beginnen, mit widerum draus resultierenden negativen Auswirkungen auf die Kinder.

Eigene Konsequenz, sowohl hinsichtlich der Konstanz der Zuwendung als auch bei notwendigen Verboten, vermittelt dagegen jene Atmosphäre der Ruhe, Stetigkeit und Sicherheit, aus der heraus Kinder ihre Eltern als echte Autoritäten respektiert können.

Nicht von Anfang an und auch nicht in allen Fällen gelingt es jedoch, immer genügend konsequent zu sein. Besonders, wenn dieser Aspekt bisher zu sehr vernachlässigt wurde, fällt der Anfang oft schwer. Nicht alles auf einmal sollte man daher wollen und sich vornehmen, sondern mit *einem* eng umrissenen Gebiet beginnen. Das kann z. B. sein, daß sich die Kinder vor dem Essen die Hände waschen sollen, oder auch, daß herumliegende Spielsachen vor dem geplanten Besuch im Zoo noch wegzuräumen sind. Immer dann, wenn zuvor entsprechende Anweisungen der Eltern umgangen werden konnten, werden Kinder auch jetzt versuchen, das von ihnen Erwartete nicht ausführen zu müssen. Sogar mehr als bisher werden sie anfangs noch betteln, nörgeln oder auch mit allen ihnen zur Verfügung stehenden Mitteln ihren Protest kundtun. Nur aber, wenn sich Eltern in diesem einzuübenden Bereich *nicht* erweichen lassen, *nicht* nachgeben, sondern auf der von ihnen gegebenen Anordnung bestehen, werden die Kinder diese auch zu befolgen lernen. Zwar werden anfangs immer wieder die Maßnahmen der Eltern noch in Frage gestellt werden; aber allmählich, nach etwa ein bis zwei Wochen, wird die aufgezeigte Grenze dann akzeptiert werden.

Zur Prinzipienreiterei darf die so notwendige Konsequenz in der Erziehung jedoch nicht ausarten! Letztlich muß die jeweilige individuelle Situation des Kindes ausschlaggebend dafür sein, ob in diesem oder jenem Fall nicht doch eine Ausnahme oder eine verständnisvolle Großzügigkeit richtiger ist.

Echte Autorität hat nichts mit Unterdrückung und Besserwisserei zu tun, sondern wächst Eltern zu, die ihre Kinder annehmen und ernst nehmen und gerade deshalb ihnen nicht zumuten wollen, von einander widersprechenden Erziehungsströmungen hin- und hergerissen zu werden. Diese Eltern weisen ihren Kindern jene klare Orientierung und Richtung, die eine spätere Gemeinschafts- und Liebesfähigkeit überhaupt erst ermöglicht.

Mit einbezogen werden müssen aber auch Großmütter, Großväter,* Tanten und sonstige Anverwandte, die hin und wieder mit kleineren Erziehungsaufgaben betraut werden. Im Interesse der Kinder darf es hier kein Gerangel um Rangpositionen in der familiären Beliebtheitsskala geben. Sich zurücknehmen und einmal nichts schenken, statt dessen eine Stunde gemeinsam zu spielen, vermittelt beiden letztlich eine größere Zufriedenheit als das Auspacken von immer neuen Mitbringseln. Man darf nicht alles, was man könnte! Dieser Verzicht ist bei der Leichtigkeit, mit der wir Kindern heutzutage beinahe jeden Wunsch erfüllen können, oft viel schwerer, als gutgemeinten, sich aber letztlich verhängnisvoll auswirkenden Verwöhnungstendenzen nachzugeben.

---

* Hilfreiche Tips und Empfehlungen für Großeltern finden sich in: Meves, Ch.: Das Großeltern-ABC. Verlag Herder.

Ausdauer und Durchhaltefähigkeit

Die vierjährige Monika wird in der psychologischen Sprechstunde vorgestellt. Ihre Mutter ist besorgt darüber, daß sich Monika überhaupt nicht allein beschäftigen könne und ihr stattdessen immer den ganzen Tag im Haushalt hinterherlaufe. Dieses Verhalten zeige sie jedoch erst seit einem halben Jahr, nachdem die Mutter ab diesem Zeitpunkt wieder zu Hause geblieben sei, um das neuangekommene Brüderchen versorgen zu können. Während der Zeit vorher sei die Mutter ganztägig berufstätig und Monika bei einer Nachbarin untergebracht gewesen. Diese habe sich allerdings auch nicht so viel um Monika kümmern können, da sie ihrerseits durch die Organisation der Autowerkstatt ihres Mannes mehr als ausgelastet gewesen sei. Die Nachbarin habe Monikas Mutter jedoch versichert, daß immer genug Spielzeug im Zimmer zur Anregung und Selbstbeschäftigung zur Verfügung gestanden habe. Man dürfe es Kindern ja auch nicht zu leicht machen, sie nicht verwöhnen und ihnen alles abnehmen, da sie Anforderungen und Härten des Lebens später sonst nicht gewachsen seien, begründete Monikas Mutter die getroffene Regelung.

Leider stößt man noch immer auf den unausrottbaren und hartnäckigen Irrglauben, man müsse Kinder nur genügend „Bieten", ihnen ein reichliches Angebot von Spielsachen zu Füßen legen, um in Kinderseelen Stürme heller Begeisterung entfachen zu können. Überfluß in dieser Form ist aber keineswegs das, was Kinder wirklich brauchen und suchen. Sie benötigen – mehr als wir es uns im Alltag bewußt machen – eine personale, intensive Zuwendung, ein liebendes Gegenüber, ein „Du", mit dem sie sprechen und gemeinsam etwas unternehmen können. Genügend Zeit, die wir unseren Kindern widmen, ist eine der wichtigsten Vorbedingungen für deren harmonische Entwicklung.

Alle Schwierigkeiten, die Monikas Mutter beklagt, die mangelnde Ausdauer, bei einer Sache zu bleiben, sich nicht sinnvoll beschäftigen zu können, sich zu langweilen und überhaupt nichts mit sich selber anzufangen wissen, sind eine Folge davon, daß sich offenbar niemand je Zeit genommen hatte, gemeinsam mit Monika in Ruhe und mit Ausdauer zu spielen. Sie hatte nicht erfahren, welche Freude gemeinsames Bauen eines Turmes, gemeinsames Kritzeln mit ersten Malversuchen oder ein geruhsames Puppenspiel bereiten können. Statt dessen empfindet sie – zumal ihre Mutter sie immer wieder drängt, doch nun endlich etwas zu spielen – all diese Dinge eher als unangenehme Aufforderung und Überforderung; sie fühlt sich von der Mutter zurückgestoßen, deren Nähe sie doch so sehr sucht. Nicht umsonst läuft sie hinter ihrer Mutter her: Nach der infolge der Berufstätigkeit erlebten Trennung will sie ganz sicher sein, daß ihre Mutter auch wirklich bei ihr bleibt und Monika nicht wieder allein läßt. Gleichzeitig ist dieses Verhalten aber auch eine ständige Aufforderung an die Mutter, sich mit ihr zu beschäftigen, ihr Anregung zu geben und mit ihr zu spielen.

Allzuoft meinen wir, keine Zeit mehr zu haben für Dinge, deren Nutzen sich nicht sogleich in Mark und Pfennig ausrechnen läßt, erscheinen uns diese „Spielereien" als überflüssig. Allenfalls mit Blickrichtung auf die Schule oder Vorschule sind wir dazu bereit, mit didaktisch-ausgeklügelten Programmen uns unseren Zwei- bis Dreijährigen zu widmen und sie mit dem bevorstehenden „Ernst des Lebens" zu konfrontieren. Ein Unsinn, der Kindern nicht nur die Unbefangenheit der Kindheit raubt, sondern Leistungsverweigerungen aus Protest in späteren Jahren geradezu heraufbeschwört.

Erst *nachdem* über längere Zeit hinweg durch beiderseitige Ausdauer und Beharrlichkeit Freude und Anregung mit einem Material erlebt werden konnten, bekommt dieses Spielzeug – auch ohne die Anwesenheit eines Erwachsenen – einen so positiven Aufforderungscharakter, daß das Kind über eine kurze Zeitspanne hinweg dann schon ein wenig allein damit spielen kann. Ohne diese vorherige *gemeinsame* Eroberung einer Sache kann keine selbständige Beschäftigung erreicht werden. Nachdem diese erste Durchhaltefähigkeit beherrscht wird, sollten Mutter oder Vater anschließend in erreichbarer Nähe bleiben, um die kleinen Fortschritte auch gebührend bewundern zu können. Anfangs sind in kurzen Abständen immer wieder Ermunterungen und lobende Anteilnahme notwendig, um mit dieser Unterstützung das geplante Werk schließlich fertigstellen zu können.

Immer einmal wieder ein Lob zwischendurch als Bestätigung, aber auch als Anreiz und Aufmunterung zu weiterer Anstrengung läßt erst jene Ausdauer und Sicherheit im Umgang mit Materialien entstehen, die selbständiges und konstruktives Spiel ermöglichen. Lob und Hilfestellung sind dabei von entscheidender Bedeutung! Wieviel leichter ist es doch, ein Werk zu verschönern und zu vervollkommnen, wenn das bereits Fertiggestellte angenommen und akzeptiert wird, als wenn daran nur herumgenörgelt und herumkritisiert wird. Selbstverständlich können Vater oder Mutter alles bereits sehr viel besser und schneller, aber diese Überlegenheit darf nicht die Anstrengungsbereitschaft des Kindes beeinträchtigen und entmutigen. Wenn Monika trotz aller Bemühungen das Gefühl vermittelt bekommt, Vater und Mutter könnten doch immer alles besser, kritisierten so viel, daß alles falsch zu sein scheint, was sie tut, wird sie schließlich resignieren und überhaupt nichts mehr zu beginnen sich trauen. Was sich anfangs nur als mangelndes Spielverhalten zeigt, wird sich aufgrund ihrer allgemeinen Mutlosigkeit und Selbstunsicherheit dann auch auf andere Gebiete übertragen, wie z. B. auf die Arbeitsfähigkeit in der Schule. Die verlangte Fähigkeit des Durchhaltens und Interesses und des sich Auseinandersetzens mit einer Aufgabe wird nicht in der Schule gelernt, sondern – auch hinsichtlich der Leistungsanforderungen schon in den Anfangsklassen – dort bereits vorausgesetzt. Bei Schulbeginn – und das ist die immer wieder bestätigte Erfahrung – müssen die Eltern dann notgedrungen in den sauren Apfel beißen und sich tagtäglich am Nachmittag stundenlang mit dem mühseligen Geschäft der Schularbeiten herumplagen. Eltern werden dabei durch die Passivität und Antriebsarmut ihrer Kinder oft einer Belastungsprobe ausgesetzt, die mitunter den elterlichen Geduldsfaden zerreißen läßt.

Kinder brauchen immer wieder neu unsere Zeit! Ist die Mutter, sind die Eltern nicht bereit, sich während der ersten Lebensjahre bereit zu halten und für die Bedürfnisse ihrer Kinder offen zu bleiben, wird ein Vielfaches an Zeit in den nächsten Jahren unbarmherzig nachgefordert: Schularbeiten, schlechte Noten und zunehmend schlimmer werdende Verhaltensstörungen verlangen dann pausenlosen Einsatz. Man muß zur Nachhilfe, zum Arzt, zum Psychotherapeuten, wodurch die Nachmittage bald so sehr ausgefüllt sind, daß für ein harmonisch-entspanntes Familienleben kaum noch Zeit bleibt. Ständige Probleme und unbewältigte Aufgaben schaffen ein Unbehagen, das Eltern und Kind alles Neue pessimistisch als weitere Forderung und Überforderung erleben läßt.

Die Erfahrung zeigt andererseits, daß eine vorausschauende Planung der ersten Lebensjahre die Kindesentwicklung wesentlich positiver verlaufen lassen kann. Der von den Eltern zu leistende Einsatz muß jedoch zeitlich *genau umgekehrt* erfolgen, als man häufig denkt: Bleibt in den ersten Lebensjahren genügend Zeit, um sich dem Säugling zu widmen, für ihn da zu sein, später dann mit seinem Kind zu bauen, vorzulesen und herumzutollen, werden diese Kinder dann nicht nur hinsichtlich der Zuwendung genügend abgesättigt, sondern lernen auch spielend – aus Freude an der Sache – jenes intensive Sich-Beschäftigen und Bei-der-Sache-Bleiben, das in der Schule so dringend benötigt wird. All das, was am Anfang des Lebens erfahren und eingeübt wird, braucht später nicht mühselig nachgeholt zu werden. Auf der sicheren Basis eines gesunden Selbstvertrauens, der Zuversicht in die eigenen Fähigkeiten, wird die Schule zu einer interessanten und abwechslungsreichen Aufgabe. Der Lernstoff wird voll Wissensdurst aufgenommen, und Schularbeiten werden in kürzester Zeit selbständig erledigt. Dann bleibt Zeit wiederum zum Spielen, Erzählen, Ausflüge machen und zu einem gemütlichen, ausgedehnten Nachmittagskaffee. So selbständig und selbstsicher sind diese Kinder dann, daß es evtl. auch möglich wird, daß die Mutter am Vormittag wieder ihrem geliebten Beruf nachgehen kann. Eine Berufstätigkeit der Mutter zu diesem Zeitpunkt wird denkbar, ohne daß sich die Kinder dann vernachlässigt fühlen.

Eine Schwierigkeit unserer oft so erfolgsabhängigen Lebenseinstellung ist, daß die Früchte der Investitionen in den ersten Lebensjahren nicht sogleich erkennbar und greifbar sind, sondern daß hier in geduldiger Beharrlichkeit über längere Zeit mit dem Bemühen fortgefahren werden muß, ehe ein sichtbares Resultat zu erkennen ist. Auch nicht geliebte und wenig gepflegte Kinder wachsen heran, sind äußerlich fast nicht von wohlbehüteten zu unterscheiden; Kleider machen Leute. Leicht ist man in der Gefahr, bei nicht sogleich sichtbarem Erfolg in seinen Bemühungen aufzugeben, zumal, wenn man immer wieder hört, daß dieser Einsatz doch gar nicht so wichtig sei. Im Gegenteil – so wird fälschlich behauptet – erschwere eine innige Bindung an die Eltern das Selbständigwerden der Kinder, und man schneide sich mit der geopferten Mühe doch nur ins eigene Fleisch. Oft stehen Eltern in ihren Bemühungen innerhalb der Hausgemeinschaft, ja in der ganzen Straße so allein, daß es außerordentlich schwerfallen kann, die eigenen Bemühungen nicht aufzugeben, nicht nachlässig zu werden in liebender Fürsorge wie in ebenso notwendiger Konsequenz. Nicht das ist richtig, was alle tun, sondern das, was den individuellen Bedürfnissen des Kindes im jeweiligen Alter gemäß ist.

Hilfen zur Selbständigkeit

Morgens muß bei Familie K. immer alles sehr schnell gehen. Der vierjährige Andreas soll pünktlich um acht zum Kindergarten gebracht werden, damit seine Mutter gleich anschließend die notwendigen Einkäufe erledigen und sich der Hausarbeit widmen kann. Aber friedlich verläuft der morgendliche Aufbruch eigentlich nie: Statt sich – soweit es geht – schon ein wenig allein anzuziehen, trödelt Andreas herum und will am liebsten im Schlafanzug mit seinen Tieren spielen. Hier entwickelt er eine Ausdauer, die seine Mutter zu anderen Zeiten kaum an ihm beobachtet; sonst muß sie ihn drängen, immerzu ermahnen. Auch an diesem Morgen ist Andreas' Mutter wieder unter Zeitdruck. Ungeduldig ruft sie nach ihm, der schon längst am Frühstückstisch sitzen sollte. Wie so oft überhört Andreas auch dieses Mal ihre zur Eile mahnenden Aufforderungen und spielt weiter. Schließlich wird es Frau K. zu bunt; ärgerlich geht sie ins Kinderzimmer, beschimpft Andreas unwirsch wegen seines Ungehorsams und seiner Trödeligkeit. Energisch wird Andreas bei der Hand genommen, im Bad kurz und kalt unter prustendem Protest gewaschen, anschließend hastig und wenig zärtlich rasch angezogen. Fünf Minuten bleiben noch Zeit für eine Semmel und Milch. „Beeil dich", drängt Frau K. ungeduldig im Mantel, „wir müssen los".

Oft macht man die Beobachtung, daß dann, wenn etwas ganz besonders schnell und reibungslos funktionieren soll, wenn man auf dem Sprung ist, um die Straßenbahn oder den Bus noch zu erwischen, Kinder hier nicht mitmachen und sich gegen diese Hektik sträuben. Je mehr man drängt, um so weniger tun sie, was von ihnen erwartet wird. Ärgerlich nimmt man ihnen schließlich ab, was sie eigentlich schon selbst tun sollten und könnten. Warum aber reagieren sie überhaupt so halsstarrig und störrisch? Könnten sie ihren Eltern nicht ein bißchen mehr entgegenkommen?

Kinder reagieren oft ganz instinktmäßig mit einer natürlichen Abwehr, wenn sie sich überfordert fühlen, wenn sie das Gefühl haben, daß man nicht wirklich für sie Zeit hat. Langsam, schleppend und schlurfend erledigen sie widerwillig das Unumgängliche. Wäre es aber nicht für Eltern denkbar und auch einfacher, einmal die Wirkung der Umkehr eigenen Verhaltens auszuprobieren? Wird das Kind bereiter, Aufforderungen zu befolgen, wenn wir weniger drängen und ihm statt dessen etwas mehr Zeit einräumen?

Kein Mensch bemüht sich gerne um etwas, wenn er das Gefühl hat, immer und überall werde nur an ihm herumkritisiert. Das spärliche Lob, das zwischenduch bei besonderen Anlässen dünn ausgestreut wird, kann dann schwer nur als solches akzeptiert werden, wenn alsbald neue Kritik erwartet wird. Eigeninitiative und Tatkraft erlahmen; man läßt dann doch lieber gleich alles von denen machen, die es ja sowieso besser wissen oder wenigstens vorgeben, es besser zu können.

Immer wieder setzen wir bei Kindern allzusehr ein Verhalten als selbstverständlich voraus, das sie erst noch lernen müssen. Tatsächliche Erfolge und Fortschritte des Kindes mindern wir dadurch in ihrer Wertigkeit so herab, daß weiteres Bemühen erheblich erschwert oder gar im Keim erstickt wird. Man nimmt Kindern den Mut, sich für etwas anzustrengen, wenn allenfalls die perfekte Beherrschung einer Fertigkeit lediglich zur Kenntnis genommen, geschweige denn mit einem Lob bedacht wird.

Schrittweise nur wird jede Fähigkeit erlernt, sei sie scheinbar auch noch so einfach. Lob und Anerkennung bereits für den Willen, sich anzustrengen, etwas zu versuchen, sind der *Anreiz*, sich auch mit neuen und schwierigen Dingen auseinanderzusetzen. Würde das Kleinkind beim ersten, noch unsicheren, aber selbständigen Schritt vom Vater sogleich angebrüllt, es solle schneller laufen, würde es sich vor Schreck vermutlich sofort wieder hinsetzen und weitere Gehversuche zunächst wieder unterlassen – zumindest in Gegenwart des als ängstigend erlebten Vaters. Ständiges Ermahmen, Unruhe und Hetze bewirken Entmutigung und Passivität. Lob, Anerkennung und Ermutigung führen dagegen bedauerlicherweise häufig ein stiefmütterliches Dasein. Unser Anspruch in bezug darauf, was wir als anerkennenswert erachten, ist oft unerfüllbar. Weniger wäre mehr. Zu hoch gesteckte Ziele und Erwartungen können von Kindern häufig auch mit größter Anstrengung nicht erreicht werden.

Um Erfolg zu haben und um Kinder die Freude über die eigene Leistung wieder erfahrbar werden zu lassen, muß jedoch gerade bei antriebsgehemmten Kindern das Ziel der Erwartungen zunächst unter das Niveau herabgesetzt werden, welches bereits vom Kind erbracht werden kann. Es muß eine realistische Chance bestehen, die gestellten Erwartungen erfüllen zu können. Der *Erfolg* spornt an und nicht die ständige Niederlage! Ein Turm aus fünf Klötzen kann erst erstellt werden, wenn zwei Steine sicher aufeinander stehen; eine Blume kann erst gemalt werden, nachdem ein annähernd runder Kreis gekritzelt wurde. Wir dürfen nicht den zweiten Schritt vor dem ersten erwarten, nicht die vielen kleinen Zwischenstufen vergessen, die Voraussetzung hierfür sind.

Regelmäßige Hilfe an einer Stelle, an der das Kind eigentlich selbst übend probieren sollte, erschwert die angestrebte Selbständigkeit. Wenn Vater oder Mutter zügig und gekonnt erledigen, was eigentlich vom Kind getan werden sollte, bekommen die Eltern einen falschen Eindruck von den Möglichkeiten des Kindes, weil sie es in kleinkindhafte Verhaltensweisen drängen, die ihm nicht mehr gemäß sind. Selbstverständlich können die Eltern sicher den Anorak zuknöpfen, Andreas lernt es dadurch aber nicht. Kinder *wollen* selbständig werden; wir hindern sie daran, wenn wir ihnen zu viel abnehmen! *Geduld* ist vonnöten, wenn man Andreas wirklich helfen will, ohne eine Aufgabe für ihn zu erledigen. Hilfestelllung, d. h. kleine Hilfen an schwierigen Stellen, ist richtig, aber Andreas muß die Chance und das Gefühl haben, durch *eigene* Anstrengung das Ziel erreichen zu können. Bringen wir unsere Kinder doch nicht um das schöne Gefühle des Erfolges; sie müssen stolz sein können auf ihre Leistungen! Nur dann werden sie bereit sein, sich zuversichtlich auch an weitere Schwierigkeiten heranzuwagen. Selbstsicherheit erwächst dadurch, daß man selbst sicher etwas geschafft hat.

Förderlich ist es daher durchaus, Kindern altersgemäß wohldosiert etwas zuzumuten, besser noch: zuzutrauen. Der Vorschuß an Anerkennung, den wir aussprechen, indem wir Andreas mitteilen, daß wir ihm schon zutrauen, daß er sich z. B. schon ein klein wenig alleine anziehen kann, läßt ihn sich mehr bemühen, ihn eher erfolgreich den Knopf ins Knopfloch stecken, als wenn seine Mutter ihm immer alles abnimmt. Geduldiges Abwartenkönnen, viel Zeit ist notwendig, um nach den ersten mißlingenden Versuchen ermutigend zu neuem Anlauf zu verhelfen. Trösten müssen wir, wenn nicht gleich alles gelingen will, es noch einmal zeigen, sich schließlich auch gemeinsam freuen. Vater muß selbstverständlich am Abend diese neue Fertigkeit ebenfalls gebührend bewundern und geduldig zuschauen, bis – noch unsicher – das Knopfloch geschlossen ist.

Wenn man den Einruck gewinnt, daß ein Kind auch dann Lob fordert, wenn es sich kaum oder überhaupt nicht um etwas bemüht hat, ist dieses kein Grund, sich über diese passive Anspruchshaltung zu entrüsten, sondern ein Hinweis auf die ungeheure Unsicherheit des Kindes. So gering ist dann sein Selbstvertrauen, und über so wenig Durchhaltefähigkeit verfügt dieses Kind, daß es der ständigen Ermunterung bedarf, um nicht den letzten Funken von Aktivität auch noch verkümmern zu lassen. Solche Kinder sind so sehr des Lobes bedürftig, um nicht ihr beeinträchtigtes Gefühl, auch ohne Leistung geliebt und wert gehalten zu sein, gänzlich einer tiefen Hoffnungslosigkeit und Resignation weichen zu lassen. Diese Kinder brauchen das Lob, wonach sie verlangen! Nur dann werden sie wieder mit Zuversicht sich an Aufgaben heranwagen und das Gefühl entwickeln können, etwas wert zu sein.

Das Ausmaß der benötigten Anerkennung ist bei Kindern unterschiedlich. Wo ein Kind bereits voll Stolz auf das vollbrachte Werk herabblickt, ist ein anderes noch unsicher und verzagt, ob dieses wohl einer gestrengen Prüfung standhalten könne. Auch Lob muß mit Gespür für die unterschiedliche Bedürftigkeit der Kinder wohl dosiert sein! Später, wenn die Kinder älter und ihre Leistungen besser werden, kann man selbstverständlich das Lob als Anreiz auch auf einem höheren

Leistungsniveau ansiedeln, damit es ein wirksamer Ansporn zu weiteren Bemühungen bleibt. Immer aber gilt es, auch den kleinen Bemühungen auf dem Weg zu einem Ziel Anerkennung zu zollen.

Rhythmus und Regelmäßigkeit

Leben ist eingebettet in die großen Rhythmen der Natur, der Jahreszeiten, des Abwechselns von Tag und Nacht. Aber jeder einzelne Mensch hat auch seinen eigenen, individuellen biologischen Rhythmus, zu dem z. B. die Pulsfrequenz, der Herzschlag und der Atemrhythmus gehören. Innere und äußere Rhythmen gleichen sich in der Regelmäßigkeit des Wiederkehrens, als ordnende Prinzipien, deren gleichmäßiger und ungestörter Ablauf ein Gefühl der Beruhigung vermittelt, daß alles seine Ordnung hat.

Auch Kinder leben in diesem inneren und äußeren Rhythmus, wobei anfangs beide Rhythmen jedoch noch nicht aufeinander abgestimmt sind: Der Hunger nach Nahrung verlangt zunächst auch noch nachts gesättigt zu werden; allmählich erst werden die Intervalle langsam vergrößert. Weder der innere Rhythmus des Kindes noch der zunächst von den Eltern und dem Tag-Nacht-Wechsel an das Kleinkind herangetragene äußere Rhythmus sind jedoch zu vernachlässigen. Nicht ein Entweder-Oder, sondern ein Sowohl-Als-auch kennzeichnet die Bedeutung dieser beiden Spannungsbögen: Ein Kind wird nicht nur durch die tatsächlich erhaltene Nahrung „gestillt", sondern auch durch den beruhigenden Herzschlag der Mutter, die es auf ihrem Arm hält.

Die Fortsetzung dieser beruhigenden Regelmäßigkeit findet sich – auch für das Kind erkennbar – in der allmählich immer mehr fortschreitenden Gliederung des Tagesablaufs. Nach und nach können die Mahlzeiten zunehmend mehr zu festen, regelmäßig wiederkehrenden Zeiten eingenommen werden. Die Zeit des Spielens wechselt mit Schlaf ab. Der Kindergartenbesuch erstreckt sich über eine bestimmte Tageszeit, und auch die Tätigkeiten während dieser Zeit sind in sich strukturiert. Der Nachmittag hat die regelmäßige Spielstunde mit der Mutter, und am Abend gibt es einen festen Zeitpunkt der Vorbereitungen für die Nachtruhe.

„Alles zu seiner Zeit", besagt eine volkstümliche Redewendung, „Alles hat seine Zeit" formuliert die Bibel genauer. Regellosigkeit verliert die Maßstäbe aus dem Blick. Der Volksmund drückt eine konstruktive Weisheit aus, wenn er sagt: „Der Mensch ist ein Gewohnheitstier". Je selbstverständlicher in der Familie ein geregeltes Zusammenleben gelebt wird, um so leichter lernt das Kind diese Ordnung auch für sich zu akzeptieren. Wenn ein Ziel der Erziehung ein morgens ausgeruhtes und fröhliches Kind ist, darf z. B. die Schlafenszeit nicht zum täglich neuen Diskussionspunkt werden. Der vom Kind angestellte Vergleich mit den Eltern, die angeblich grundlos mehr dürfen, sollte nicht dazu führen, Gebote weniger notwendig erscheinen zu lassen. Das nur am Augenblick haftende Kind kann nicht übersehen, daß z. B. zu spätes Schlafengehen ihm die Ausgeglichenheit und Unbeschwertheit des nächsten Tages raubt. „Erfassen Kinder die feste Regelung des Tagesablaufs, fühlen sie nur selten ein Bedürfnis, sie zu übertreten, um die Grenzen herauszufinden" [12].

Bei Familie P. ist das alles etwas schwieriger. Die Mahlzeiten werden nicht zu bestimmten Zeitpunkten eingenommen, man ißt dann, wenn man hungrig ist. Da beide Eltern freiberuflich tätig sind, kann das Abendbrot einmal um 18 Uhr, ein andermal aber auch erst um 21 Uhr bereitstehen. Nichts ist eigentlich genau festgelegt, „es ergibt sich halt gerade so", man lebt im Augenblick. Sonntags z. B. schlafen die Eltern gern sehr lange, so daß die drei- und vierjährigen Kinder morgens schon alleine versuchen, ob sie nicht zum Frühstück etwas in der Küche finden. Während sie schon um halb sieben nach Brot und Butter suchen, frühstücken die Eltern erst so gegen elf. Werden die Kinder mittags wieder hungrig, sind die Eltern gerade vollauf gesättigt. Im Schlafanzug und Morgenrock trödelt der halbe Tag dahin, bis allmählich am Nachmittag sich die Familie zum Kaffee erstmals vollständig zusammenfindet. Wachsende Unternehmungsfreude der Eltern läßt einen Ausflug ins Gebirge planen, doch spät am Abend erst wird nach ermüdendem Schlangefahren die Wohnung wieder erreicht. Teils schlafend, teils quengelig, gereizt und überanstrengt haben die Kinder den Ausflug gar nicht mehr richtig genießen können. Müde sträuben sie sich am nächsten Morgen, wenn ihre Mutter sie zum Kindergarten oder zur Schule weckt.

Auch Wochenenden, Feiertage und Ferien sollten Kindern kein Gefühl der Strukturlosigkeit vermitteln, währenddessen sie sich weitgehend selbst überlassen bleiben. Gerade diese freie Zeit, auf die hin sich die Kinder schon während der ganzen Woche freuen, weil dann endlich auch einmal der Vater daheim ist, sollte nicht planlos dem Zufall überlassen werden. Zwar kann der Tagesablauf dem Alltag gegenüber verschieden und geändert sein, doch sollten Regelmäßigkeit und Rhythmus auch dann eingehalten werden. Die Erziehung wird unnötig erschwert, wenn z. B. immer zu anderen Uhrzeiten gegessen wird. Kinder sind nicht so stabil, daß sie die aus Launen der Erwachsenen geänderten Tagesabläufe verstehen und danach handeln können. Sie brauchen noch die äußere Regelmäßigkeit zur Orientierung. *Regelmäßige* Handlungsabläufe werden zu Gewohnheiten, die leichter vollzogen werden können. Von den Mahlzeiten der Eltern getrennte, aber feste Essenszeiten für die noch kleinen Kinder können daher durchaus erleichternd sein und kommen dem Ordnungsgefühl der Kinder entgegen.

Nicht nur Regelmäßigkeit, sondern auch das Einbetten der täglichen Aufgaben in den großen Rhythmus des Jahresablaufs hilft im Alltag. Wenn ein Ziel vor Augen steht, auf das hingelebt und für das Vorfreude empfunden werden kann, werden die täglichen kleinen und großen Pflichten leichter. Der Sonntag kann so ein Ziel sein, an dem Muße und Gemeinsamkeit besonders gepflegt werden. Aber auch die erwartungsvolle Freude auf den Geburtstag, auf die Ferienreise oder den Kinderfasching, läßt das Abwechseln von Arbeit mit Pausen der Erholung und Entspannung, als folgerichtig und voneinander abhängig verstehen. Nach der Arbeit ist gut ruhen; Feste sind Höhepunkte und Unterbrechungen des Alltags.

Die vorgelebte Ordnung im eigenen Lebensbereich und die Erfüllung von Pflichten durch die Eltern erleichtern Kindern ein Akzeptieren von Regeln und Regelmäßigkeit auch für sich selbst. Wenn sie erleben, daß ihr Vater jeden Morgen zur Arbeit geht und die Mutter ihre häuslichen und außerhäuslichen Aufgaben erfüllt, werden Kinder die vorgelebte Aufgabenerfüllung der Eltern leichter als Vorbild übernehmen können. Eigene Pflichten und eigene Aufgaben werden verstehbarer und leichter erfüllt, wenn man sie nicht isoliert betrachtet, sondern ihren Sinn als Teil eines größeren Zusammenhangs auffaßt.

Auch die großen kirchlichen Feste sind Einschnitte im Jahreslauf, auf die es sich hinzuleben lohnt. Weihnachten, Ostern und Pfingsten sind nicht nur Anlässe zum Schenken und für den „dringend notwendigen" Kurzurlaub, sondern in erster Linie religiöse Festtage der Besinnung. Die Bedeutung individuellen Lebens im großen Ablauf der Zeiten zu vermitteln gehört auch mit zur christlichen Erziehung. Regelmäßiges Beten am Abend und bei den Mahlzeiten vermittelt bereits dem kleinen Kind etwas von der Ausrichtung auf ein höheres Ziel statt des augenblicklich sofort Erreichbaren. Es ist das Vorbild der Eltern, das Kinder eine Haltung akzeptieren und annehmen hilft, welches sie einer höheren Ordnung untertan sich begreifen läßt.

Mit Freude in den Kindergarten

Um der zunehmenden Erwerbstätigkeit auch von Müttern kleiner Kinder Rechnung zu tragen – ein Problem das sich nicht bagatellisieren läßt, jedoch auch nicht nur auf dem Rükken der Kinder ausgetragen werden kann – hat ein Trend eingesetzt, das Eintrittsalter zum Kindergarten immer weiter nach unten zu verlegen. Während früher Kinder mit fünf Jahren in den Kindergarten kamen, regte in der Vergangenheit sogar eine Familienministerin an, doch schon Zweijährige in den Kindergarten zu schicken. Ein Vorschlag, der den heftigsten Widerstand der Kinderärzte hervorrief. Möglicherweise sollte dieses Angebot an Doppelverdienerehepaare aber die krasse finanzielle Benachteiligung von Familien weniger bewußt werden lassen.

Mittlerweile übertrafen sich aber Politiker in der Bereitstellung familienergänzender Einrichtungen. Die Übergänge von einer Einrichtung zur anderen sind flexibel, ebenso flexibel wie mittlerweile die Öffnungszeiten der meisten Kindergärten. In Rheinland-Pfalz z. B. öffnen 50% der Kindergärten früher als 8.00 Uhr und ein nahezu gleich großer Prozentsatz schließt später als 16.00 Uhr. Die Zahl der Ganztagsplätze wird ausgeweitet. Die Eltern haben offenbar viel zu tun, zunehmend weniger aber noch etwas mit ihren Kindern.

Ein Frankfurter Unternehmensberater ist sicher, daß betuchten Eltern für ihren Nachwuchs nichts zu teuer sei. Er will in der Bundesrepublik eine Kette von Luxuskindergärten bauen. Für 10.000,- DM können finanzkräftige Eltern oder Kapitalanleger für Drei- bis Sechsjährige die „Garantie" für einen Kindergartenplatz erwerben, der pro Monat noch einmal zwischen 1300,- und 1800,- DM kosten soll. Auch Übernachtungen und Kinderurlaub sollen möglich sein. Die Nachfrage sei enorm.

Frühsozialisation heißt die Parole, laut der Toleranz, Fürsorglichkeit und eine frühe Gruppen- und Gemeinschaftsfähigkeit verheißen wird. Diese seien Förderungsangebote, die man seinem Kind nicht vorenthalten dürfe, so wird verkündet. Eltern, die dieses Bildungsangebot bisher verpaßt haben, bekommen ein schlechtes Gewissen. Schleunigst müsse man Versäumtes nachholen, meint auch Familie F., um die sozialen Fähigkeiten ihrer dreijährigen Tochter nicht verkümmern zu lassen. Bereits am nächsten Tag soll Sabine in eine Kindergruppe „integriert" werden. Sie wird sich freuen! – denken die Eltern.

Sabine allerdings hält davon gar nichts. Zwar geht sie willig und fröhlich mit ihrer Mutter am nächsten Morgen zum Kindergarten – wie sonst jeden Tag zum Kaufmann – doch bereits der Anblick der großen Gruppe mit vielen fremden Kindern läßt sie zurückhaltend werden und ein wenig enger an die Seite der Mutter treten. Artig begrüßt sie auch die Gruppenleiterin, doch als sie erfährt, daß sie nun allein hierbleiben soll, läßt sie die Hand der Mutter nicht mehr los. Da gutes Zureden nicht hilft, wird schließlich trotz verzweifelten Weinens und des Versuches, sich an die Mutter zu klammern, Sabine von ihr getrennt. Die Tür schließt sich hinter der hinausgehenden Mutter. Schluchzend sitzt Sabine in einer Ecke, durch kein Spielangebot zu trösten und abzulenken, immer wieder weint sie nach der Mutter. Als sie mittags endlich heimgeholt wird, ermahnt man die Mutter – die unsicher geworden ist und sich Gedanken gemacht hat, ob man mit dem Besuch des Kindergartens nicht doch noch etwas warten solle –, daß Sabine unter allen Umständen am nächsten Morgen wieder gebracht werden müsse. Es komme häufig vor, daß Kinder sich anfangs nicht von der Mutter trennen könnten. Man müsse aber hart bleiben, wurde bestimmt erklärt, sonst würde Sabine ewig am Rockzipfel der Mutter hängen. Die Bindung an die Mutter sei ja schon fast ein wenig zu stark. – Sabines Mutter blieb hart. Vier Wochen brachte sie das jeden Morgen weinende und sich sträubende Kind zum Kindergarten. Dann gab sie auf und ließ Sabine wieder zu Hause. Das Leiden ihres Kindes hatte sie nicht mehr ertragen können und ihrem mütterlichen Gefühl nachgegeben, daß das nicht richtig und gut sein könne.

Immer wieder berichten Mütter von verzweifelten Ängsten ihrer Kinder, von herzzerreißenden Szenen, wenn Kinder sich von ihrer geliebten, ihnen Sicherheit vermittelnden Bezugsperson trennen sollen. Weinen, sich an die Mutter klammern vor Angst und verzweifeltes Suchen nach ihr sind keine harmlosen „Anstellereien", sondern Notsignale tiefen emotionalen Erschüttertseins, die nicht überhört oder ignoriert werden dürfen!

Noch nicht verheilte Wunden früherer Erlebnisse können wieder aufgerissen werden, wenn sich das Kind schon früher einmal verlassen fühlte. Die Mobilisierung unverarbeiteter – bewußt oder unbewußt erlebter – früherer Verlassenheitsängste kann auch bei erneutem Verlassenwerden verstärkt panische Angst auslösen. Es kann genügen, wenn Kinder nach dem Einschlafen wieder aufwachten und erlebt haben, daß ihre Eltern fortgegangen und sie allein waren.

Auch dann darf die Angst der Kinder nicht übergangen werden, wenn die Mutter schon darauf gehofft hatte, endlich am Vormittag in Ruhe konzentriert diese oder jene Arbeit erledigen zu können. Der störungsfreien Entwicklung des Kindes sollte besonders in den ersten Lebensjahren oberste Priorität eingeräumt werden! Sabines Weinen, das anzeigt, daß sie die Nähe der Mutter noch braucht, sich in der fremden Umgebung allein und unsicher fühlt, muß beachtet werden, will man nicht Gefahr laufen, Ängste zu erzeugen und zu verstärken.

Natürlich ist es einfacher, die eigene Lebensplanung jenseits der Dreijährigkeit der Kinder unter Vernachlässigung ihrer Bedürfnisse voranzutreiben. Natürlich kann man den Kopf in den Sand stecken, ihre Aufforderungen um Hilfe nicht hören wollen; aber opfert man nicht dadurch auch jenes feine, sensible Empfinden gegenseitigen Verstehenkönnens in der Familie? Muß man nicht diese Signale um Hilfe aus seinem Bewußtsein ausklammern, wenn man nicht durch Unruhe und Besorgtheit an anderer, angeblich wichtigerer Tätigkeit gehindert werden will? Büßt nicht die Lebendigkeit und Vielfalt des Familienlebens Wesentliches ein, verarmt nicht gerade durch Überhören der Bedürfnisse der Kinder jene soziale Mitmenschlichkeit, um deren Förderung – durch fremde Erzieher – man vorgab, doch so sehr bemüht zu sein?

Gewiß gibt es genügend Kinder, die kein derartiges „Theater“ beim Kindergartenbesuch machen. Fröhlich und ungeniert-heiter nehmen sie morgens von der Mutter Abschied, fühlen sich im Kindergarten beinahe wohler als zu Hause. Daß andere Kinder sich anders verhalten, darf jedoch nicht dazu verleiten, die Individualität des eigenen Kindes am Anspruch einer fragwürdigen kollektiven Entwicklungsnorm zu opfern: Andere Kinder sind in ihrer Entwicklung vielleicht schon so weit, daß sie die Trennung von der Mutter für einige Zeit ohne Angst ertragen können. Andere Kinder sind aber infolge zu vieler Betreuungspersonen bereits auch so oberflächlich, so beziehungslos in ihrem Verhältnis zu Erwachsenen und Kindern, daß ihre geringe Beeindruckbarkeit hinsichtlich Neuem sie weniger sensibel darauf reagieren läßt und es ihnen beinahe gleichgültig erscheint, wo und von wem sie versorgt werden. Ihr geringes Gebundensein erzeugt den Anschein einer durch nichts zu beeinträchtigenden lässigen Selbstsicherheit. Doch der äußere Schein trügt: In ihren mitmenschlichen Beziehungen bleiben bindungsgestörte Kinder behindert, wenn ihnen nicht sehr viel geholfen wird. Viele oberflächliche Kontakte zu häufig wechselnden Spielgefährten haben sie zwar, aber einen wirklichen Freund kennen sie nicht. Nicht die Orientierung am Entwicklungsstand und Verhalten anderer Kinder hilft daher in jedem Fall, die richtige Entscheidung zu treffen, sondern das genaue Hinschauen auf die individuelle Bedürftigkeit des eigenen Kindes.

Einzelkinder haben es oft besonders schwer, sich im Kindergarten an die Auseinandersetzungen in einer Gruppe Gleichaltriger zu gewöhnen. Dennoch wird fälschlicherweise oft gemeint, gerade allein aufwachsende Kinder bedürften besonders frühzeitig der fördernden Anregung einer großen Gruppe. Was veranlaßt uns anzunehmen, daß ein allein aufwachsendes Kind die Trennung von der Mutter besser übersteht als eines, das durch seine Geschwister bereits im Umgang mit Spielgefährten geübt ist? Die Fähigkeit, sich in einer größeren Gruppe einzuordnen, setzt immer voraus, daß Spiele und Unternehmungen im Rahmen von zwei bis drei Kindern möglich sind. Erst nachdem das Kind mit *einem* Freund oder *einer* Freundin angstfrei spielen gelernt hat, ist es möglich, diese Spielgemeinschaft allmählich um einen weiteren Spielgefährten zu erweitern. Anfangs geht das durchaus nicht reibungslos, da es dem Einzelkind schwerfällt, seine bisherige Kronprinzenrolle in der Familie zugunsten der Einordnung in die Gruppe aufzugeben. Zunächst kann daher nicht darauf verzichtet werden, daß ein Erwachsener schlichtend und ablenkend die kleinen Kämpfe um das Spielzeug ausgleicht. Nicht das Recht des Stärkeren sollte gelten, sondern gemeinschaftliches – evtl. die einzelnen Wünsche nacheinander berücksichtigendes – Tun ist anzustreben. Auch einmal auf etwas verzichten können, nicht immer dominierend im Mittelpunkt stehen müssen, sind Eigenschaften, die Gruppenfähigkeit anzeigen. Die schrittweise Gewöhnung an eine größere Gemeinschaft schon vor dem ersten Kindergartenbesuch wird die Trennung von der Mutter leichter ertragen lassen, besonders dann, wenn die bisherigen Gefährten in denselben Kindergarten gehen.

Der Beginn des Kindergartenbesuches wird auch durch vorheriges Spielen in fremder Umgebung erleichtert. Dieses ist z. B. durch Besuche in der Wohnung des Spielgefährten möglich, wobei die Mutter – sofern notwendig – anfangs noch mit anwesend sein kann. Allmählich gewöhnt sich das Kind auf diese Weise an eine fremde Umgebung und macht die wichtige Erfahrung, daß seine Mutter es immer wieder dort abholt. Es ist ratsam, bei zu erwartenden Trennungsängsten eine ähnliche Regelung auch mit der Kindergärtnerin zu treffen. Die zunächst noch im Kindergarten mitanwesende Mutter läßt ihr Kind sich in der fremden Umgebung sicherer fühlen, und es kann frei von Angst sich trauen, mit anderen Kindern zu spielen. Nach und nach wird es der Mutter möglich – zunächst nur für kurze Zeit, allmählich aber immer länger – auch den Raum zu verlassen, bis sie nur noch mittags ihr Kind wieder abzuholen braucht. Diese positive Erfahrung wird später auch den Schulbeginn problemloser verlaufen lassen.

Ein Vorüben sozialer Kompetenz wird teilweise jedoch schon zu einem Zeitpunkt begonnen, an dem andere als diese

Erfahrungen vordringlich für das Kleinkind sind. In privater Initative täglich durchgeführte sogenannte Säuglingsspielgruppen entsprechen eher dem Bedürfnis der Eltern nach Entlastung als der Bereitschaft und Fähigkeit der Kinder, echten Kontakt zueinander aufnehmen zu können. Da die Betreuung der Kinder jeweils einem anderen diensttuenden Elternteil der Gruppe obliegt, sind diese Kinder allen bereits aufgezeigten Nachteilen der Wechselbetreuung unterworfen (s. S. 44 ff.). Der Wunsch nach Unabhängigkeit der Eltern wird hier zum Schaden der Kinder den Erfordernissen der Kleinkindzeit übergeordnet. Erst *nachdem* Konstanz und Beständigkeit erlebt wurden, kann die Auseinandersetzung mit Spielgefährten, Freunden und Freundinnen erfolgreich sein. Kurzwährende Erfolge des Miteinanderspielens von Kleinstkindern dürfen nicht die Reihenfolge und die – nicht beliebig umkehrbare – Abfolge von Entwicklungsstufen mißachten lassen.

Der Beginn des Kindergartenbesuchs sollte daher nicht ohne Not vor den vierten Geburtstag gelegt werden und immer nur *halbtägig* erfolgen. Allzu leicht fühlen sich Kinder abgeschoben und entwickeln Verhaltensauffälligkeiten, wenn sie den ganzen Tag über institutionell versorgt werden, besonders dann, wenn wegen der Ankunft eines Geschwisters die Mutter vom älteren Kind entlastet werden soll. Kinder sind eine Aufgabe, wir lösen sie nicht, indem wir uns ihren Nöten verschließen.

Vom Trotz zur eigenen Meinung

„Nein, ich mag aber nicht", schreit Matthias seiner Mutter entgegen, „nein, ich habe aber keinen Hunger mehr." Zwei Löffel hat Matthias erst gegessen und rührt nun mißmutig-gelangweilt in seinem Brei herum. Frau S. denkt an die Tabelle mit den Angaben über die notwendige Nahrungsmenge in diesem Alter. Bereits gestern hat es beim Mittagstisch schon Tränen gegeben, weil sie Matthias mit sanftem Druck jeden Löffel einzeln aufdrängen und in den Mund stopfen mußte. Eher hatte er nicht vom Tisch aufstehen dürfen, bis der Teller leer war. Heute scheint sich dasselbe Drama erneut anzukündigen. „Ich will nicht mehr", wiederholt Matthias seine Ablehnung bekräftigend und ergänzt: „Das schmeckt nicht!"

Auseinandersetzungen, Versuche den eigenen Willen durchzusetzen, werden nicht nur beim Mittagstisch erprobt, sondern die verschiedensten und nichtigsten Anlässe können zu Reibereien und Machtkämpfen ausgeweitet werden. Ob nun die Spielsachen wegzuräumen sind, ob Zeit ist, ins Bett zu gehen oder ob der grüne statt des blauen Pullovers angezogen werden soll, immer heißt es „nein, ich will nicht". Macht man denn plötzlich alles falsch?

Im Zeitraum der Zwei- bis Fünfjährigkeit beginnen Kinder, sich spürbar schon ein wenig von ihren Eltern zu lösen und sich ihnen gegenüber durch Äußerungen des eigenen Willens abzugrenzen. So wenig begründet Eltern der Protest ihrer Kinder zunächst auch erscheinen mag, ist diese noch unbeholfene Artikulation der eigenen Meinung doch notwendig und Voraussetzung zur Entwicklung von späterer Eigenständigkeit und Unabhängigkeit. Nur wer seine eigene Meinung zu äußern und – innerhalb bestimmter Grenzen – auch durchzusetzen gelernt hat, wird selbstsicher in seiner Entscheidungsfähigkeit, kann sich später selbst behaupten. Der Trotz in der Kleinkindzeit ist also ein erster Anfang von notwendiger Verselbständigung. In der Pubertät wird sich die Ablösung von den Eltern noch verstärken. Dabei hat diese Distanzierung mit absichtlichem Kränken und Beleidigenwollen nichts zu tun. Die unbequemen und mitunter aggressiven Äußerungen des Kindes sind entwicklungsnotwendig.

Aggression darf daher keineswegs ausschließlich als etwas Negatives und Destruktives verstanden werden. Biologisch betrachtet hat sie *nicht* in erster Linie die Funktion der Zerstörung, sondern die der Abgrenzung, der Revierverteidigung, um in der Selbstentfaltung nicht durch andere eingeschränkt und beeinträchtigt zu werden [57]. Die Drohgebärde hat die Funktion der Abschreckung, der Ankündigung, daß Schlimmeres passieren wird, wenn der eigene Lebensbereich nicht akzeptiert und respektiert wird. „Jemandem die Zähne zu zeigen" ist der Hinweis für das Gegenüber, sich nicht einzumischen, nicht übergreifen zu wollen auf selber beanspruchtes Recht und den eigenen „Standpunkt" unangetastet zu lassen. Dieses ist gemeint und soll – wenn auch noch unbeholfen und in der Art und Weise gelegentlich unangemessen – ausgedrückt werden, wenn Kinder beginnen, sich Erwartungen und Anforderungen der Eltern trotzend zu widersetzen. Es wäre daher ein schwerwiegender Fehler, diese ersten Ansätze von Selbstbehauptung durch die Macht des Stärkeren einfach im Keim ersticken zu wollen. Sicher lassen sich durch Strafandrohungen und Gewalt mit Leichtigkeit erste Widerworte und Widerspenstigkeiten unterdrücken, doch erzieht man auf diese Weise eher zum untertänig-ich-schwachen Radfahrertyp als zur Fähigkeit, sich im Leben zu behaupten.

Das Wissen um die Bedeutung des Trotzes beinhaltet jedoch nicht, daß alle Durchsetzungsbestrebungen und Machterprobungen des Sprößlings geduldig mit übertriebener Beachtung ertragen werden müssen. Zum Erlernen, den eigenen Willen sinnvoll einzusetzen, gehört auch zu erkennen und zu akzeptieren, daß jeder andere Mensch ebenso ein Recht hat, eigene Vorstellungen zu entwickeln. Es hieße den Sinn der Trotzphase falsch verstehen, wenn keinerlei Grenzen mehr gesetzt würden, wie das in antiautoritären Erziehungsversuchen ausprobiert wurde. Kinder brauchen *Leitlinien*, an denen sie sich orientieren können, die nicht überschritten werden dürfen, innerhalb derer sie jedoch vielfältige Möglichkeiten erhalten, eigene Willensentscheidungen treffen zu können. Es gehört zum Lernen in dieser Entwicklungsstufe hinzu, daß der Wille anderer nicht einfach ignoriert werden kann, sondern daß auch gehorcht werden muß, wenn man ein Beachten des eigenen Willens für sich ebenfalls beansprucht. Keine Grenzen zu setzen bedeutet, die richtungsweisende Orientierung einem Chaos zu opfern. Kinder brauchen diese Markierungspunkte und müssen auch an ihre Grenzen stoßen. Fehlen solche Grenzen, werden alle „Steine des Anstoßes" aus dem Wege geräumt, bewirkt das keineswegs mehr Frieden und Ausgeglichenheit, sondern läßt Kinder vermehrt ausprobieren und danach suchen, wie weit sie denn ihre Erprobungsgelüste ausdehnen können. Schließlich werden dieselben Rechte wie die der Eltern beansprucht: die Kinder wollen bestimmen, wann ihre Eltern z. B. ins Bett zu gehen haben.

Auch butterweiche und in Watte packende Erziehung ermöglicht keinerlei Abgrenzung; die Suche nach Grenzen geht ins Leere, weil keine Grenzen spürbar sind. So erzogene Kinder können zunächst sehr lieb erscheinen, entpuppen sich alsbald aber als besonders fordernd und aggressiv. Wird Kindern jeder Wunsch sogleich von den Augen abgelesen, so wird ihre Ablösung und Eigenständigkeit erschwert. In einer besonders lieben und weichen, Konflikte vermeidenden Atmosphäre zu Hause mag Eigenständigkeit anfangs noch nicht notwendig erscheinen; Probleme sind aber spätestens im Kindergarten und in der Schule mit Sicherheit zu erwarten. Dort nämlich wird niemand mehr bereit sein – und es wäre auch nicht gut –, dem Muttersöhnchen alle Schwierigkeiten aus dem Weg zu räumen und ihn fortgesetzt vorne und hinten zu bedienen. Ein Platz in der Gemeinschaft muß nicht nur erkämpft, sondern auch behauptet werden können, will man nicht zum Spielball der Launen anderer werden. Freunde und Ansehen gewinnt man nicht durch Passivität, sondern durch Fähigkeiten und auch dadurch, sich in einer Gruppe Gleichaltriger nicht immer alles gefallen zu lassen. Weder Härte noch erdrückende Liebe sind

Erziehungsmittel, die diese Fertigkeiten fördern, sondern das Einüben und Einhalten von Spielregeln im Umgang mit den anderen.

Seine Kinder zu lieben heißt, sie zu führen, ohne sie dabei gängeln zu wollen. Wird dieses nicht konsequent beachtet, kann es geschehen, daß Kinder unvorbereitet sind, wenn nach dem bisher erlebten laissez-faire oder der butterweichen Erziehung plötzlich ihren Ansprüchen von der Umwelt der Gleichaltrigen Einhalt geboten wird. Denn weder in der Gruppe noch im Elternhaus zeigen sie ein angemessenes Verhalten: Schreien, Toben und sich auf den Boden werfen sind keine Reaktionsformen, die zu Lebenserfolgen führen.

Eine Erziehung zur Eingrenzung ist jedoch am Anfang nicht immer ganz einfach; denn je beharrlicher versucht wird, liebevoll, aber bestimmt ein Verbot aufrechtzuerhalten, um so lautstarker und dramatischer wird das Gebaren des Kindes. War man vielleicht doch zu streng, wird man sich fragen, soll man dieses eine Mal nicht doch noch nachgeben, um wenigstens Ruhe zu haben?

Nein, auf keinen Fall! An die bisherige Inkonsequenz der Eltern gewöhnt, haben Kinder die Erfahrung gemacht, daß sie nur ein genügend großes Geschrei und „Theater“ anstellen müssen, um anschließend doch alles Gewünschte zu erreichen. Eine neue, konsequentere Erziehungsweise ist den Kindern natürlich ungewohnt und wird – ungläubig ob der Durchhaltefähigkeit der Eltern – selbstverständlich auf die Probe gestellt. Nur aber, wenn wirklich die vorher angekündigte Konsequenz durchgehalten werden kann, wird in Zukunft schon der verbale Hinweis auf eine Grenze akzeptiert werden. Nur dann haben Erklärungen und Begründungen von Verboten Erfolg, wenn der Versuch, sich über ein Gebot hinwegzusetzen auch tatsächlich nicht hingenommen oder stillschweigend geduldet wird!

Die Folgen derartiger Übertretungen müssen konsequenterweise jedoch bereits vorher mit aufgezeigt werden; dann gibt es vielleicht einmal keinen Extranachtisch beim Essen, oder der so heiß ersehnte Besuch im Zoo ist an diesem Samstag eben nicht möglich. Nicht Liebesentzug darf die Strafe sein, sondern eine aus der Sache sich ergebende *logische Konsequenz* [12]: Wer im Waschbecken den Abfluß mit Knetgummi zustopft und eine Überschwemmung verursacht, muß eben anschließend mithelfen, das Wasser aufzuwischen; wer Messer und Gabel mutwillig vom Tisch wirft, sollte sie auch wieder aufheben. Selbständigkeit bedeutet nicht nur den eigenen Willen zu äußern, sondern hierzu gehört auch, für die Folgen seines Handelns – dem Alter entsprechend – einzustehen.

Immer nur zu reden, immer und immer wieder dasselbe stets erneut zu erklären und begreiflich machen zu wollen, ändert die Situation nicht. Das Tun, die konsequente Handlung als Folge des Unerlaubten ist für Kinder viel einsichtiger als eine – sie oftmals überfordernde – nur verbale Auseinandersetzung mit den Eltern: immer wieder neu geführte Diskussionen, Fragen nach dem „Warum" und „Wieso", immer wieder neue – aber letztlich doch gleiche – Erklärungen bewirken keineswegs eine schnellere Erledigung des eingeforderten Sachverhaltes.

Vielmehr verliert man schließlich den Ausgangspunkt des Disputs aus den Augen: man redet, um des Redens willen, aber erreicht wird dadurch nichts. Ist auf diese Weise schließlich das Verbot umgangen, haben die Eltern lediglich wieder einmal ein Stück Glaubwürdigkeit eingebüßt. Die Kinder dagegen haben gelernt, daß sie eine Anordnung nur genügend lange anzweifeln müssen, um sie letztlich umgehen oder gar in ihr Gegenteil verkehren zu können. So ernst kann das Verbot der Eltern gar nicht gemeint gewesen sein, wenn es sich so leicht wieder außer Kraft setzen läßt. „Reden kocht keinen Reis", sagt ein chinesisches Sprichwort; auch Erziehung bleibt ohne konkretes Tun nur Vorsatz, eine lebensferne Theorie.

Konsequent sein und Grenzen setzen bedeutet jedoch nicht, daß man darauf verzichtet, Willensäußerungen des Kindes mit einzubeziehen und zu berücksichtigen. Der Umgang mit dem Trotz erfordert ein Aufzeigen klarer Grenzen, gleichzeitig aber auch ein bewußtes Einbeziehen des kindlichen Willens. Wenn Kinder erfahren, daß berücksichtigt wird, was sie wollen, daß auf ihre Vorstellungen auch eingegangen wird, sind sie eher bereit, bestimmte, im Familienleben notwendige Einschränkungen zu akzeptieren und hinzunehmen: wenn sie mitentscheiden können, ob sie z. B. den grünen oder blauen Pulli anziehen wollen, wenn sie auch gefragt werden, ob der Spaziergang in den Wald oder an den See führen soll oder das reparierte Auto nun eine rote Feuerwehr oder ein gelbes Postauto werden soll.

Auch bei Mahlzeiten sollte man keinen Dirigismus über den Kopf des Kindes hinweg betreiben. Der Appetit des Kindes ist zu berücksichtigen, will man nicht sich und das Kind mit Essensproblemen bis weit hinein in die Pubertät belasten. Ständiges Drängen und Ermahnen – wie in dem eingangs geschilderten Beispiel – erzieht eher zu einem „Suppenkasper", als daß Freude am Essen erreicht würde. Genau wie Erwachsene verspüren auch Kinder unterschiedlichen Appetit. Selbst wenn einmal eine Mahlzeit ausgelassen wird, droht nicht sogleich die Gefahr des Verhungerns.

Gelassenheit bewirkt, daß sich die Situation wieder schneller entspannt als zwar verständliche, aber meistens doch unbegründete Angst. Nicht zum Essen zu drängen beinhaltet auch, darauf hinzuweisen, daß bis zur nächsten regulären Mahlzeit selbstverständlich keine Süßigkeiten und keine Schleckereien zur Verfügung stehen, um den Appetit nicht durch Süßes zu beeinträchtigen. Andererseits kann eine Lieblingsspeise zum Abschluß der nächsten Mahlzeit als Anreiz in Aussicht gestellt werden. Gewaltsames Eintrichtern läßt das gemeinsame Essen, das doch eigentlich Zufriedenheit schenken soll, zu einem Machtkampf entarten. Ein Berücksichtigen des Fühlens und Wollens seines Kindes auch und besonders im Bereich der Ernährung hilft, daß manche Probleme gar nicht erst entstehen.

In ihrem eigenen Bereich sollten also selbst kleine Kinder schon einige Dinge mitentscheiden, bzw. es sollte ihre Meinung bei Überlegungen der Eltern mit berücksichtigt werden. Dieses Einbeziehen meint jedoch nicht, daß unter allen Umständen allein die Vorlieben des Sprößlings ausschlaggebend zu sein haben; die Meinung der Eltern wird häufig durchaus richtiger sein. Das Gefühl jedoch, bei den die Kinder betreffenden Fragen – nicht bei größeren Problemen oder gar der Intimsphäre der Eltern! – mit gehört zu werden, ist für die beginnende Verselbständigung von Bedeutung: Es erzieht zu differenziertem, verantwortungsvollem und kritischem Denken, ohne sich in unreflektiertem Drang mit Gewalt behaupten zu müssen, ohne mit dem Kopf durch die Wand zu wollen.

Besuch mich bitte jeden Tag!

Die dreijährige Stefanie hat eine Haarklammer verschluckt und muß operiert werden. Ohne ihre kleine Tochter lange auf den notwendigen Krankenhausaufenthalt vorbereiten zu können, muß die Mutter mit ihr von einem Tag auf den anderen in die Klinik. Dort kann die Mutter bis zur Operation bei Stefanie bleiben, und als sie aus der Narkose aufwacht, sitzt auch wieder ihre Mutter am Krankenbett und lächelt sie liebevoll an. „Ist es nun vorbei?" fragt Stefanie. „Ja", tröstet die Mutter, „und in wenigen Tagen kommst du wieder nach Hause. Bis du wieder ganz gesund bist, besuche ich dich jeden Tag, und der Vati auch."

Beruhigt durch die Nähe der anwesenden Mutter, hat Stefanie den medizinisch erforderlichen Eingriff ohne folgenschwere Ängste überstanden. Sie weiß auch, daß ihre Mutter das Versprechen einhalten und sie jeden Tag besuchen wird. Die Puppe und ihr großer Teddybär, die auf dem Nachttisch sitzen, machen ihr die noch fremde Umgebung des weißen Zimmers vertrauter. So fühlt sie sich weniger allein gelassen und vergessen und kann die Abwesenheit der Eltern bis zum nächsten Tag leichter überstehen, selbst wenn sie traurig ist, daß ihre Mutter am Abend heimgeht. Sie weiß: Morgen ist meine Mutter wieder da!

Noch vor zehn bis z.wanzig Jahren war es häufig üblich, daß Kinder im Krankenhaus nur etwa ein bis zwei Mal in der Woche besucht werden konnten. Nur jeweils etwa eine Stunde durften Eltern ihre Kinder sehen, ihnen oft sogar nur – durch eine Glasscheibe getrennt – zuwinken. Die Folgen waren verheerend: Am Ende der kurzen Besuchszeit litten die Kinder so sehr unter der Trennung von ihren Eltern, daß sie durch keine

Maßnahme beruhigt und getröstet werden konnten. Ihr lautes Schreien und verzweifeltes Rufen nach Mutter und Vater, konnten die Eltern noch draußen auf der Straße hören. Die Reaktionen der Angst, verlassen zu werden, waren z. T. so heftig, daß den Eltern weitere Besuche verboten oder nur mit der Auflage erlaubt wurden, daß das Kind die Anwesenheit seiner Eltern nicht bemerken sollte; die stundenlang schreienden Kinder konnten andernfalls nur durch Medikamente ruhiggestellt werden. Wurde Eltern in größeren Abständen doch ein Besuch ihrer Kinder gestattet, verhielten sich diese beim darauffolgenden Besuch häufig bereits so apathisch und resigniert, daß sie ihre Eltern überhaupt nicht mehr oder kaum noch beachteten, sich zur Wand drehten oder teilnahmslos lediglich die Geschenke entgegennahmen. Ohne sichtbare Reaktionen der Freude oder des Schmerzes, allenfalls mit einem leisen Weinen, ließen sie ihre Eltern wieder heimgehen. Zum Zeitpunkt der Entlassung aus der Klinik waren diese Kinder in ihrem Wesen dann so verändert, daß ihnen über Wochen und Monate auch zu Hause kaum ein Lächeln zu entlocken war. Nachts schreckten sie im Schlaf hoch, schlugen in ständiger Unruhe mit dem Kopf von einer Seite auf die andere oder gar gegen die Wand. Nächtliches Einnässen, nachdem die Kinder vorher bereits vollständig trocken gewesen waren, trat wieder ebenso auf, wie häufiges nächtliches Suchen von Zuflucht im Bett der Eltern.

Aber auch heute noch beantworten Kleinkinder erlebte Krankenhausaufenthalte – besonders wenn sie nicht besucht, sondern alleingelassen wurden – mit ähnlichen Reaktionen. Verzweiflung und Angst läßt sie auch noch zu Hause unsicher sein, ob sie wieder irgendwo allein gelassen werden, sei es auch nur des Nachts im Dunkeln. Die Erkenntnis der ursächlichen Zusammenhänge dieser langanhaltenden seelischen Schäden bei Kindern hat bewirkt, daß in Kinderkliniken zunehmend liberalere Besuchszeiten eingeführt wurden und in vielen Krankenhäusern heute bereits eine tägliche Besuchszeit rund um die Uhr eingerichtet ist. Die vertraute, anwesende Mutter schafft Beruhigung und mindert Ängste; die *regelmäßigen* Besuche der Eltern geben Gewißheit, nicht vergessen worden zu sein. Ihre Einbeziehung in die Pflege und Therapie ihrer Kinder innerhalb der Klinik läßt die zur Heilung notwendigen Maßnahmen leichter erdulden und die Heilung schneller eintreten. Nicht die Kinderärzte oder das Klinikpersonal quälen die Kinder, wie aufgrund der geschilderten Symptome gelegentlich angenommen und behauptet wird, sondern die Qual für die Kinder besteht darin, sich hilflos verlassen zu fühlen, wenn sie von ihren Eltern nicht besucht werden!

Manche Eltern, die um diese Zusammenhänge wissen, verhindern aus Angst vor seelischen Schäden einen Klinikaufenthalt oder lassen – in Überschätzung der Möglichkeiten einer ambulanten Behandlung bei schweren Erkrankungen – eine Aufnahme ins Krankenhaus zu einem späten Zeitpunkt erfolgen. „Wir kennen Fälle", schreibt der Kinderarzt Prof. Ewerbeck, „bei denen die Eltern aus Furcht vor einem seelischen Trauma ihres Kindes eine aus vitaler Indikation notwendige Einlieferung in eine Kinderklinik unterließen. Sie behielten weder die Seele noch den Körper ihres Kindes – das Kind starb" [17].

Es darf daher nicht die Alternative gestellt werden, notwendiger Krankenhausaufenthalt oder nicht, sondern die Frage muß heißen, wie kann ein wirklich notwendiger Krankenhausaufenthalt ohne Schaden für das Kind vonstatten gehen. Der tägliche Besuch am Krankenbett ist eine Möglichkeit. Die Mitaufnahme der Mutter, ein *Rooming-in im Kinderkrankenhaus* ist noch ein besseres Vorgehen, um seelischen Störungen vorzubeugen. Die im Zimmer des Kindes mit wohnende und auch nachts dort schlafende Mutter bietet die beste Gewähr, Furcht und nicht vermeidbare unangenehme Situationen leichter aushalten zu können. Besonders bei kleinen Kindern sollte diese Möglichkeit immer genutzt werden. Welche Kliniken eine Mitaufnahme der Mutter ermöglichen, kann von den Initiativgruppen des *Aktionskomitees Kind im Krankenhaus* erfahren werden, welche sich sehr für dieses Rooming-in der Mütter eingesetzt und sich große Verdienste um die Liberalisierung der allgemeinen Besuchsregelung erworben haben. Dort kann Näheres über die Situation in den einzelnen Kliniken erfahren werden (Anschrift s. Anhang). Bei allen Besuchen und Aufenthalten sollte jedoch immer auch bedacht werden, daß eine Kinderklinik kein Fünf-Sterne-Hotel ist und auch bemühte Schwestern ihre Zeit lieber den Kindern zur Verfügung stellen, anstatt ausgefallene Elternwünsche zu erfüllen. Gegenseitiges Verständnis hilft jedoch, gemeinsam im Interesse des Kindes zusammenzuarbeiten.

Für Mütter mit mehreren Kindern stellt sich dann, wenn sie ihr erkranktes Kind mit in die Klinik begleiten wollen, die Frage, wie die übrigen Geschwister zu Hause betreut werden können *. Man sollte sich nicht scheuen, in dieser akut schwierigen Situation, Verwandte oder Freunde um Hilfe zu bitten. Vielleicht kann eine Großmutter, Tante oder eine andere den Kindern vertraute Person für die Zeit den Haushalt führen, in der die Mutter mit ihrem Kind in der Klinik ist. Es sollte auch überlegt werden, ob der Vater für diese Zeit nicht vielleicht Urlaub nehmen kann, um die übrigen Kinder zu Hause zu versorgen. Wenn sich auch die Situation hinsichtlich der Besuchsmöglichkeiten in den meisten Kliniken entscheidend für Kinder verbessert hat, tauchen doch gelegentlich noch Befürchtungen auf wegen eingeschleppter Infektionen, Beeinträchtigungen und Behinderungen der Behandlung durch die Anwesenheit der Eltern, sowie eine Verwöhnung der Kinder durch Süßigkeiten und Geschenke. Im Gespräch mit dem Stationsarzt oder der Stationsschwester lassen sich diese Bedenken jedoch im allgemeinen einvernehmlich regeln. Berechtigte Befürchtungen dieser Art sind eher eine Ausnahme. Im Gegenteil: die stationäre Behandlungsdauer kann durch den häufigen Kontakt oder die ständige Anwesenheit von einem der Eltern in der Regel merklich verkürzt werden [4, 36, 69].

Da jedoch jeder Krankenhausaufenthalt eines Kindes in jedem Alter die Gefahr eines potentiellen Traumas für die seeli-

---

„Versicherte haben Anspruch auf Krankengeld, wenn es nach ärztlichem Zeugnis erforderlich ist, daß sie zur Beaufsichtigung, Betreuung oder Pflege ihres erkrankten und versicherten Kindes der Arbeit fernbleiben, eine andere in ihrem Haushalt lebende Person das Kind nicht beaufsichtigen, betreuen oder pflegen kann und das Kind das 12. Lebensjahr noch nicht vollendet hat (§ 45 SGBV).

sche Schädigung in sich birgt [19], sollten umgehbare Eingriffe oder nicht absolut notwendige stationäre Beobachtungen unterbleiben, bzw. auf eine spätere Altersstufe verschoben werden. Je älter ein Kind ist, um so stabiler kann es die seelische Belastung des Krankenhausaufenthaltes aushalten, um so weniger wird es Folgeschäden davontragen. So wird z. B. oftmals die Indikation zu einer Phimoseoperation bei Jungen im Alter der Drei- bis Fünfjährigkeit gestellt, obwohl keine akuten Schmerzen oder Abflußstörungen bestehen. Auch Verklebungen der Vorhaut lösen sich in den meisten Fällen bis zum Beginn der Pubertät allein und erfordern keinen Eingriff. Zu einem Zeitpunkt, an dem das Interesse für körperliche und sexuelle Unterschiede erwacht, besteht allzu leicht die Gefahr, diese unnötige Manipulation als Verstümmelung zu erleben, die nicht selten Kastrationsängste zur Folge hat. Ein Verharmlosen und Bagatellisieren dieser Zusammenhänge mindert nicht die tatsächliche seelische Beeinträchtigung, sondern verleugnet lediglich die sensible Störbarkeit der Leib-Seele-Einheit.

Sind Klinikaufenthalte nicht akut notwendig, können sie auch zu einem späteren Zeitpunkt erfolgen, so bietet die weitsichtige Planung eines Krankenhausaufenthaltes den unschätzbaren Vorteil, das Kind vorher altersgemäß hierauf vorbereiten zu können. Was bekannt ist oder wo Zusammenhänge und Handlungsabläufe verstanden werden, entsteht weniger Angst. Mal- und Bilderbücher [5, 20, 26, 65, 85], aber auch das Spiel mit dem Spielzeug-Arztkoffer lassen Fremdes und Unbekanntes vertrauter werden. Ein Kind darf nicht zur Strafe ins Krankenhaus kommen, wo mit dem bösen Doktor gedroht wird, der ihm, „weil es so böse war", den Bauch aufschneiden wird, sondern die Besserung und Heilung muß in den Vordergrund gestellt werden. Beim vorbereitenden Spiel, aber auch bei dem, mit dem man nachträglich die einschneidenden und ängstigenden Erlebnisse zu verarbeiten sucht, ist daher immer ein positiver Spielausgang mit vollständiger Gesundung und Entlassung nach Hause anzustreben, wo die Heimkehr freudig gefeiert wird. Ein vorhergehender Besuch im Krankenhaus zum „Kennenlernen" und ein kurzes Gespräch mit dem Arzt oder der

Schwester lassen die zukünftige Atmosphäre konkret erfahren. Verfehlt ist die Lüge, lediglich einen Besuch im Krankenhaus machen zu wollen und das Kind unvorbereitet dort zu belassen. Eine solche Handhabung bewirkt berechtigtes Mißtrauen gegen die Eltern, das oft über Jahre negative Wirkungen haben kann. Vater und Mutter sollten allerdings auch nicht schon viele Wochen vor dem geplanten Klinikaufenthalt mit einer Leidensbittermiene den Eindruck vermitteln, daß ein unabwendbares Unglück über die Familie hereinbricht. Angst und Unsicherheit übertragen sich auf das Kind und erschweren ihm eine positive Einstellung zur Klinik. Zuversicht und Hoffnung sind hier vonnöten, die auch mit dem Hilfsmittel kleiner Extrageschenke unterstützt werden dürfen. Letztlich sind es aber die anwesende Mutter und der anwesende Vater, die durch ihr Geborgenheit vermittelndes Da-sein langfristigen Schäden entgegenwirken können. Dieses sollte auch bei Abwägung der evtl. Mehrkosten durch die Mitaufnahme von Mutter oder Vater mitberücksichtigt werden. Seelische Gesundheit ist eine Menge wert!

Kinder brauchen Väter!

Das ist ein weiser Vater,
der sein eigen Kind kennt.
William Shakespeare

Zunehmend mehr Väter befassen sich aus der Erkenntnis ihrer Verantwortung für die Entwicklung ihrer Kinder mit Fragen und Problemen der Erziehung, überlassen die Betreuung und Versorgung ihrer kleinen Söhne und Töchter nicht allein ihren Ehefrauen. Viele werdende Väter möchten bereits bei der Geburt dabei sein, nicht nur um ihrer Frau Beistand und Hilfe zu leisten, sondern auch um ihr Kind von der ersten Stunde ab kennen- und lieben zu lernen. Ihr konstruktives Engagement trägt entscheidend dazu bei, schon früh eine positive Beziehung zu ihrem Kind entstehen zu lassen.

Das engagierte Bemühen des Vaters fördert aber auch den Kontakt zwischen Mutter und Kind. Wo die Mutter sich und ihr Kind angenommen weiß, wo sie tatkräftige Hilfe erfährt, die sie von Routinepflichten des Haushalts entlastet, wird sie sich mehr ihrem Kind zuwenden können, mehr alles Notwendige zu seiner Entwicklung beachten können, als wenn sie die Versorgung ihres Kindes wegen anderer drängender Aufgaben nur mit geteilter Aufmerksamkeit und nur bedingt wahrnehmen kann. Die Liebe des Vaters zu seiner Frau hilft daher nicht nur ihr, Aufgaben des Alltags zu bewältigen, sondern kommt ganz direkt seinem Kind zugute. Das der Mutter vermittelte Gefühl, es richtig zu machen mit dem gemeinsamen Kind, gibt ihr Sicherheit und Bestärkung im Umgang mit ihm.

Aber auch das Versorgen des Babys durch den Vater, das Baden, Wickeln und Spielen, seine Zärtlichkeit und bschützende Aufmerksamkeit festigt auf intime Weise das einander verbindende Band. Notgedrungen allerdings wird er in der ersten Lebenszeit den Hauptanteil der Pflege der Mutter überlassen müssen, da ihm seine biologische Ausstattung ein Stillen nun einmal nicht ermöglicht. Es wäre sicher nicht gut, allein um der väterlichen Gleichberechtigung willen deshalb mit der Flasche zu füttern. Abgesehen von den geschilderten Vorteilen des Stillens sind die Vorzüge von Vater und Mutter für das Kind auch nicht gleich, sondern verschieden. Ihre Funktionen sind nicht beliebig austauschbar und umkehrbar. Der Vater verkörpert ein anderes Leitbild als die Mutter. Das allmähliche Kennenlernen und Aufwachsen zwischen den beiden Polen des väterlichen und mütterlichen Prinzips bereitet bereits in den ersten Lebensjahren auf die spätere Identität vor. Die Verschiedenheit und nicht die Gleichheit von Vater und Mutter erleichtert die Ich-Findung und Identifikation mit dem eigenen Geschlecht. Die Tatsache, daß Vater und Mutter geschlechtlich unterschiedliche Wesen sind, hat für die Erziehung der Kinder insofern eine Bedeutung, als sie Vorbild und Identifikation ermöglichen: denn sowohl der kleine Sohn als auch die kleine Tochter identifizieren sich bereits im Kleinkindalter mit dem gleichgeschlechtlichen Elternteil. Darüber hinaus erhält der gegengeschlechtliche Elternteil Vorbildfunktion für die spätere Partnerwahl [39a,b; 50a].

Nicht die Anwesenheit des Vaters allein – die aber bereits in vielen Familien infolge beruflichen Engagements durchaus nicht selbstverständlich ist – und nicht nur die Beschaffung des nötigen „Kleingeldes" für Unterhalt und Ernährung der Familie sind ausreichend, um die Funktion des Familienvorstandes hinreichend erfüllen zu können. Die Art und Weise des Lenkens und Führens, des Umgangs mit seinen Kindern entscheidet darüber, ob die beanspruchte Autorität durch Güte, Gerechtigkeit, aber auch notwendige Strenge wirklich ausgefüllt wird. Kameradschaftliches Spielen und Herumtoben ist auch notwendig, aber nicht allein: Nicht nur die Kissenschlacht und das Herumkriechen am Boden bewirken den für die Kinder notwendigen Respekt. „Ein Vater, der sich ausschließlich wie ein Kumpan benimmt, wird auch bald wie ein Gleichaltriger behandelt: als einer, mit dem man nach erfolgreichen Machtkämpfen tun kann, was man will, den man zum Sklaven degradiert" [56].

Allzu oft scheuen sich Väter, die erforderlichen Grenzen aufzuzeigen und über ihre Einhaltung zu wachen. Da sie Achtungseinbußen wegen beruflich bedingter Abwesenheit während des Tages befürchten, meinen sie, durch Verwöhnung und grenzenloses Erfüllen der Wünsche der Kinder ausgleichende Achtungserfolge erzielen zu können. Die Erziehung wird dann mühselig, wenn die Kinder bestimmen und Bedingungen stellen, deren Erfüllung erst sie zu Liebtun und Artigsein sich bequemen läßt. Ein unechtes und zweckgerichtetes Umschmeicheltwerden ist kein Zeichen für Achtung und Liebe, sondern Augenwischerei: Werden die geforderten Wünsche nicht erfüllt, gibt es auch keine Ruhe, keinen Frieden im Haus; im Gegenteil: der Ehefrau wird angelastet, daß die Kinder nicht besser erzogen seien.

Nicht dasselbe tun wie die Mutter heißt Vater sein, sondern als männliches Vorbild in gütiger Liebe die geistige und reale Orientierung der Familie zu schaffen und zu erhalten.

Ein Einschüchtern der Kinder mit Härte und lautem Gebrüll bewirkt ebenfalls kein dankbares Gehorchen, sondern erzwungenen blinden Gehorsam und schürt Angst. Wo jede mit der Meinung des „Paschas" nicht übereinstimmende Bemerkung sogleich niedergeschmettert und verteufelt wird, entsteht ein Klima, in dem Kinder anfangen zu stottern und Ehefrauen sich vom Partner zu distanzieren beginnen, herrscht ein Klima ohne Eintracht. Stumm verschließen Kinder dem Vater ihre Sorgen und Fragen, er erfährt nicht mehr, was sie bewegt und bedrückt, sondern sie flüchten zur Mutter und suchen Trost und Schutz bei ihr. Nicht der unbarmherzige, nach Fehlern suchende Inquisitor erzeugt Achtung und Liebe, sondern der verständnsivolle und seiner Verantwortung bewußte Vater, der sich dennoch nicht um den Finger wickeln läßt. Sowohl die geopferte und gemeinsam mit den Kindern verbrachte Zeit ist entscheidend als auch die nicht nachlässige Führung der Familie ohne Machtanmaßung, in eigener Demut.

Die innere Einstellung des Akzeptierens seiner Familie und aller damit verbundenen Probleme als *Aufgabe*, gegen die er sich nicht als Belastung sträubt und wehrt, sondern die er zu lösen und zu erfüllen sich bemüht, ist daher vorrangiger als alle äußerliche Betriebsamkeit. Nicht der Hausbau – so schön und richtig dieser für die Familie auch sein mag – verdient oberste Priorität, sondern die eigene und familiäre Ausrichtung in christlichem Glauben. Die Relativierung vordergründiger Ziele läßt dann das Wesentliche, die wahren Werte einer einander liebenden Familiengemeinschaft offenbar werden. Die Autorität der Liebe wird dann jenes fröhliche miteinander Lebenkönnen Wirklichkeit werden lassen, das gehorchen, ohne geschlagen zu werden, empfangen, ohne betteln zu müssen, und gegenseitige Bejahung ohne Lüge ermöglicht.

Streitende Brüder

Klaus ist auf seinen kleinen Bruder eifersüchtig: Er selbst soll jeden Morgen in den Kingergarten gehen, während der zweijährige Stefan bei seiner Mutter zu Hause bleiben darf. Überhaupt scheint sich alles nur um den Bruder zu drehen: Mit seinen Freunden darf er nicht mehr nachmittags im Kinderzimmer spielen, weil Stefan dann schläft. Ganz leise sollen sie sein, und überhaupt sei er jetzt schon so groß – sagen die Eltern –, daß er vieles schon alleine und ohne ihre Hilfe tun könne. Sogar auf Stefan aufpassen soll er und mit ihm im Sandkasten spielen, wenn die Eltern nicht da sind.

Es ist richtig, daß die Eltern Klaus gegenüber hervorheben, wie groß und selbständig er schon sei im Vergleich zu seinem kleinen Bruder. Es ist richtig, daß sie ihm zeigen, wie stolz sie sind, ihm bereits einige Aufgaben anvertrauen zu können, weil er sie schon so zuverlässig und pflichtbewußt erledigen könne. Aber Vorsicht! Man muß sich hüten, die gewünschte Unabhängigkeit und Selbständigkeit nicht überzustrapazieren! Allzuleicht kann nämlich ein Gefühl des sich vermeintlich Zurückgesetztfühlens entstehen, die subjektiv empfundene Vorstellung, nur dann genügend akzeptiert und angenommen zu sein, wenn die übertragenen Pflichten reibungslos und ohne Murren erledigt würden. Die Vorteile, die Klaus aufgrund seines Alters eingeräumt werden, zählen dann nicht mehr: Wenn er das Gefühl hat, sein kleiner Bruder bekomme nicht nur mehr Zuwendung, sondern diese auch ohne sich im geringsten dafür anstrengen zu müssen, dann fühlt er sich zurückgesetzt. Erste Anzeichen hierfür können beginnende Rivalitäten sein, verdecktes Ärgern des kleinen Bruders, wenn ihm „zufällig" ein Bein gestellt wird, oder „aus Versehen" der gebaute Turm umstürzt oder das Wegnehmen von Spielzeug.

Auch wenn Klaus auf den ersten Blick als Übeltäter ertappt und überführt zu sein scheint, lohnt es sich darüber nachzudenken, warum er es nötig hat, ständig seinen kleinen Bruder zu ärgern. Wurde nicht vielleicht doch etwas zu viel von ihm verlangt, zu viel Rücksichtnahme und Verständnis zu einem Zeitpunkt, zu dem er seine eigenen Bedürfnisse noch nicht zurückzustellen in der Lage ist und er selber auch noch sehr die Zuwendung von Vater und Mutter braucht?

Schon die Art und Weise der Vorbereitung auf die Geburt eines Bruders oder einer Schwester kann von Anfang an die Einstellung gegenüber dem Neuankömmling vorbereiten. Wird Klaus gegen Ende der Schwangerschaft nur permanent darauf hingewiesen, wieviel Rücksichtnahme von ihm nach der Entbindung erwartet werde, wird sich bei ihm kaum eine freudig-positive Haltung gegenüber dem Baby einstellen. Benutzt man zudem die Zeit des Klinikaufenthalts der Mutter zu einer nicht unbedingt akut notwendigen Mandel- oder Blinddarmoperation des älteren Kindes wird sich die Ankunft des Geschwisters leicht mit einem Gefühl des Abgeschobenwerdens verknüpfen, und auch reale Ängste und Bedrohungen der eigenen Unversehrtheit können sich einstellen. Allzu leicht werden dann in der kindlichen Vorstellung erfahrenes Leid und Schmerzen in ursächlichen Zusammenhang gebracht mit dem, der bei der Rückkehr nach Hause in den Armen der Mutter ruht. Zu allem Überfluß scheint die Mutter auch nur noch Augen und Ohren für dieses schreiende Bündel zu haben. Abwehr und Protest gegen diesen Eindringling, der den angestammten Platz zwischen Vater und Mutter streitig zu machen droht, sind dann nur zu verständlich.

Bemüht man sich stattdessen, rechtzeitig und positiv auf das erwartete Geschwister vorzubereiten, läßt dessen Ankunft nicht nur freudiger und mit Sehnsucht entgegenblicken, sondern diese erste positive Einstellung wird dann auch längere Zeit fortbestehen. Schon der erste Besuch – gemeinsam mit dem Vater – des Geschwisterchens und der Mutter bereits in der Klinik wird dann viel positiver erlebt. Auch im Erlauben, nicht Fordern kleiner Handreichungen bei der Pflege, lassen jenes Sich-verantwortlich-Fühlen entstehen, das Eifersuchtsimpulsen kaum noch Raum läßt. Lob und Anerkennung über diese liebevolle Behandlung des Babys erhält nicht nur dieses anerkennenswerte Bemühen von Klaus, sondern stärkt auch seine Selbstsicherheit und das Gefühl, schon ein bißchen erwachsen zu sein; diese Dinge beherrscht er schon allein.

Ein Einbeziehen in die Pflege des Neugeborenen genügt jedoch nicht: Immer einmal zwischendurch ist eine Extraunternehmung, eine zusätzliche Mehrbeschäftigung mit Klaus allein notwendig, damit gar nicht erst das Gefühl entstehen kann, sich weniger geliebt zu fühlen als zuvor. Während der Zeiten, zu denen der Säugling schläft, und auch ausgiebig am Wochenende, sollten die ganz speziellen, ihn selbst betreffenden Wünsche von Klaus berücksichtigt werden. Dieses muß nicht notwendigerweise mit beiden Eltern zugleich geschehen; gerade auch der Spaziergang oder das Spiel allein mit dem Vater oder allein mit der Mutter bekräftigt das Gefühl des Akzeptiertseins und Angenommenseins, neben dem Geschwister nicht vergessen zu werden.

Schwer wird es jedoch, wenn z. B. der Vater den erstgeborenen Sohn aufgrund früherer ehelicher Spannungen nicht akzeptieren kann, sich aber nun freudig und engagiert dem Zweitgeborenen zuwendet. „Der Kontakt des Vaters zu Klaus war und ist deutlich schlechter als zu seinem Bruder", berichtet Frau P. rückblickend über die gegenseitige Zuneigung in der Familie. „Der Ältere zog sich dann mehr und mehr zurück. Andererseits wartete mein Mann, daß Klaus sich ihm mitteilte. Da ich mich ihm mehr widmete, um diesen Mangel auszugleichen, entstanden in der Familie zwei Parteien: jeder der Brüder suchte bei einem anderen von uns Schutz und Hilfe, ohne daß sie sich selber zu einigen versuchten." – Allein die gemeinsame bewußte Bemühung der Eltern um ein unparteiliches Verhalten, kann eine solche ungesunde Polarisierung wieder rückgängig machen. Dabei kann es auch hilfreich sein, den Rat eines Fachmannes einzuholen; diese Suche nach einem Ausweg darf jedoch nicht als Schwäche mißverstanden werden.

Kleine Streitigkeiten auch unter jüngeren Geschwistern sollten diese unter sich ausmachen. Greifen Eltern ein, ohne daß sie sahen, wie sich die strittige Situation entwickelte, werden sie in die Rolle eines Schiedsrichters gedrängt, die sie objektiv nicht erfüllen können: Ein Geschwister versucht dem anderen die Missetat in die Schuhe zu schieben, und wer am lautesten weint oder die besseren Argumente vorbringen kann, scheint unschuldig angegriffen worden zu sein. Nur zu leicht besteht die Gefahr, die tatsächlichen Zusammenhänge nicht zu durchschauen und daher ungerecht und objektiv falsch zu urteilen. Es ist daher sinnvoll – wenn schon eine Strafe sein muß –, die Kinder wegen des gemeinsamen Streitens zu trennen und für eine kurze Zeit jeden in ein anderes Zimmer zu schicken. Wenn sich dann beide hinter dem Rücken den Eltern wieder vertragen, so ist dies durchaus erwünscht und beweist wie richtig diese Erziehungsmaßnahme war.

Wenn Kinder miteinander raufen und kämpfen, sollte dieses immer auch nach Regeln geschehen, die verhindern, daß sie sich dabei ernsthaft gegenseitig weh tun und verletzen. Die Demutsgebärde des Aufgebens muß vom anderen akzeptiert werden; der bereits Besiegte darf nicht mutwillig noch mehr gequält werden! Eltern müssen aber einschreiten, wenn Regeln mißachtet werden und die Macht des Faustrechts im Kinderzimmer zu herrschen droht. Allzuleicht kann die Grenze zwischen Kräfte messendem Spiel und einander verletzendem Ernst überschritten werden. Aufhören können, wenn es dem anderen weh tut, ist die erste, unbedingt einzuhaltende Regel aller Raufspiele. Spielerisches Balgen mit dem Vater läßt dieses früh schon einüben. Als unparteiischer, gerechter Schiedsrichter kann er bei Kräfte messendem Spiel auch in späteren Jahren diese Kontrollfunktion ausüben. Vorsichtiges und liebevolles Lenken des wachsenden Tatendranges läßt Tränen und nicht gewolltes Unheil verhüten. Die Grenzen, wie weit man gehen darf, müssen von Anfang an klar gesteckt sein!

Videos als Babysitter?

„Meine vierjährige Tochter will überhaupt nicht mehr spielen!" klagt eine Mutter in der Sprechstunde. „Sandra sitzt schon am frühen Nachmittag beim Fernsehen. Auch bei schönem Wetter ist sie kaum ohne Gewalt nach draußen zu bekommen; wenn ich versuche, den Fernsehkonsum einzudämmen, entgegnet sie nur maulend, die anderen Kinder dürften das auch. Verbote helfen auch nicht. Nachmittags habe ich auch bei den beiden Großen so viel mit den Schularbeiten zu tun, daß ich gar nicht darauf achten kann, ob Sandra meine Anordnungen überhaupt befolgt. Von meinem Mann bekomme ich diesbezüglich leider auch wenig Unterstützung: der schaut schon beim Abendbrot in die Röhre. Ich habe aber das Gefühl, daß das viele Fernsehen weder für Sandra noch für unsere Familie gut ist."

Wie recht die Mutter hat! Statt zu spielen, sich zu bewegen und körperlich auszutoben, versinkt Sandra in Passivität und ist nicht einmal mehr für ein gemeinsames Spiel zu begeistern. Träge und inaktiv folgt sie der flimmernden Szenenfolge auf dem Bildschirm, erwartungsvoll in der Pause bis zur nächsten Sendung auf ihren Fingernägeln kauend. Kommen andere Kinder zu Besuch, wird auch immer nur ferngesehen; selbst wenn die Freundin zunächst andere Spielvorschläge macht, ist die Anziehungskraft des bewegten Bildes doch so stark, daß andere Arten der Beschäftigung unterbleiben. Schalten Vater und Mutter den Apparat doch einmal ab, wird der angekündigte Spaziergang nicht als freudige Abwechslung empfunden, sondern die geforderte Anstrengung als Zumutung zurückgewiesen; ist dieses Übel nicht abwendbar, wird der gemeinsame Ausflug zunächst sogar mißgestimmt-mittrottend als Strafe aufgefaßt.

Unüberlegtes Benutzen des Fernsehens, um Kinder ruhig zu halten, um sich nicht mit ihnen beschäftigen zu müssen, zieht eine Gewöhnung an dieses Medium nach sich, welche später selbst mit großer Mühe und Anstrengung nur schwer rückgängig zu machen ist. Konstruktives Spiel und schöpferisches Gestalten reizen dann nicht mehr, wenn ein Genuß auch einfacher ohne jede Anstrengung erzielt werden kann. Nicht stetes Bemühen und die erfolgreich mit unterschiedlichen Materialien bereicherte Erfahrung und Übung der eigenen Fähigkeit schafft Anreiz, sondern passives Zuschauen läßt alle Eigeninitiative erlahmen.

Ein Kind aber braucht Bewegung für eine gesunde Entwicklung [24]. „Je jünger das Kind ist, um so stärker ist eine Bewegungsunruhe notwendig, um die entsprechenden Wachstumsimpulse zu vermitteln" [23]. Der tägliche, gemeinsam unternommene fröhliche Spaziergang am Nachmittag bietet entscheidend mehr kindgemäße Anregung als die zu abstumpfender Oberflächlichkeit führende Videostunde, unabhängig davon, ob Telespiele oder Fernsehfilme konsumiert werden.

Spielstörungen sind das erste Anzeichen einer geminderten Eigenaktivität; Schulschwierigkeiten werden bei weiterem regelmäßigem Fernsehkonsum mit Sicherheit folgen. Wer nicht gewöhnt ist, sich genau und detailliert mit einer Sache zu beschäftigen, mit Ausdauer ein Bild zu malen, mit Puppen zu spielen oder auch den Eltern im Haushalt zu helfen, wird bereits bei minimalen Schwierigkeiten den Mut verlieren und nicht bereit sein, sich durchhaltend anzustrengen, sich wirklich etwas zu erarbeiten. Der dann berechtigterweise erlebte Mangel an Zutrauen in die eigenen Fähigkeiten („ich kann das ja doch nicht") verstärkt nicht selten Minderwertigkeitsgefühle und Kontaktprobleme mit anderen Kindern. Wer sich nichts zutraut und nichts kann, wird von Gleichaltrigen oft sehr viel schneller verhöhnt und ausgestoßen, ehe Erwachsene noch helfend und erklärend zur Seite stehen können. Kritisches Vergleichen unterschiedlichen Könnens ist keine Erfindung leistungsrepressiver Eltern, sondern ein in der Entwicklung jeden Kindes stattfindender Vorgang. Nicht Passivität, sondern gegenseitiges Messen der Fertigkeiten spornt an: Einer will es dem anderen gleich tun, besser und geschickter sein, wobei ein Sich-Bemühen wichtiger ist, um mithalten zu können, als zu gewinnen. Untereinander wettzueifern ist eine Voraussetzung für die Ausbildung einer aufgaben- und zielorientierten Leistungsbereitschaft. Kinder *müssen* die Erfahrung machen, daß Erfolg und Zufriedenheit über ein gelungenes Werk eine vorherige Anstrengung und zähes Bemühen voraussetzen! Videokonsum fördert oder unterstützt diese notwendige Spiel- und Arbeitshaltung jedoch in keiner Weise. Was hier in den ersten vier bis fünf Lebensjahren nicht gelernt wird, kann später nur mit Mühe – wenn überhaupt – noch nachgeholt werden. Im gesamten Vorschulbereich sind Fernsehen, Telespiele, Game-boys o.ä. für Kinder eher von Schaden als nützlich!

Die Nachahmungsbereitschaft und das Annehmen von Verhaltensweisen von Vor-Bildern macht Kinder offen und beeinflußbar sowohl für positive als auch für negative Einflüsse. Der hohe Anteil aggressiver und gewalttätiger Inhalte von Filmen, die Kindern zugänglich sind – teilweise bis hin zu Horror-Videos, beeinflußt auch ihr Spiel untereinander. Wenn Kinder aggressive Fernsehszenen nachspielen, bewirkt das nicht – wie früher oft angenommen – ein nur harmloses Abreagieren gestauter expansiver Impulse [84], sondern Gewaltdarstellungen im Fernsehen haben eine aggressionsfördernde Wirkung [73], machen die tägliche Erziehung schwieriger. Hunderte von Gewalt-Darstellungen laufen wöchentlich über unsere Bildschirme [57], bereits schon ein Bruchteil der hiervon Kindern zugemuteten Sendungen erzeugt Ängste und Schlafstörungen. Die optischen Reize des Fernsehens ermüden ein Kind eher, sie lassen es aber auch schlechter einschlafen, da das Gesehene noch einige Stunden nachwirkt und das kindliche Gehirn nicht zur Ruhe kommen kann. Der Schlaf häufig fernsehender Kinder ist unruhiger, morgens sind sie unausgeschlafen und unkonzentriert.

Die Meinung, daß Kinder durch Konflikte und Gewaltdarstellungen bereits frühzeitig an die rauhe Wirklichkeit des späteren Lebens gewöhnt werden müßten, verkennt zum einen, daß Kinder eine harmonische – wenn auch oft geschmähte – friedliche und heile Welt zur optimalen Entwicklung benötigen und zum anderen, daß eine Gewöhnung an Gewalt den

Maßstab für Richtiges und Falsches, für Gutes und Böses erheblich beeinträchtigt und gefährdet [58].

Auf die Frage, ob der Vater oder das Fernsehen lieber gemocht werde, bevorzugten in einer amerikanischen Untersuchung [67] 44% der Vorschulkinder das Fernsehen! Welch traurige Bilanz, wenn Eltern dem Fernsehen nichts Gleichwertiges mehr gegenüberzustellen wissen. „Nie zuvor hat es eine Menschengeneration gegeben, die über Stunden am Tag an der gleichen Stelle im gleichen Raum in einen Kasten blickte", schreibt der Kinderarzt Prof. *Hellbrügge* [23]. Die Attraktion und Verführung dieses Kastens auch der Erwachsenen – manche Väter sind eher von Computerspielen als vom eigenen Kind fasziniert – läßt kostbare Zeit für gemeinsame Unternehmungen in der Familie ungenutzt. Nicht die Auseinandersetzung mit der Wirklichkeit, die Einübung in reale zwischenmenschliche Beziehungen wird gelernt, sondern realitätsfremde Traumgestalten werden zum Vorbild eigener illusionärer Wünsche. Der Versuch, das eine oder andere Gesehene nachzuvollziehen, im Alltag nachzuleben, führt zu bitterer Enttäuschung, Unzufriedenheit und Mutlosigkeit. „Es ist mir alles viel zu schwer", ist der vorschnell-resigniert aus diesem Versagen gezogene Schluß, „das Leben ist ja so anstrengend". Können aber Vater und Mutter nicht doch viel mehr zur Lebensbewältigung beitragen als ein beziehungsloser Kasten?

Fernsehen und Videospiele aus Langeweile, Bequemlichkeit und Passivität ist immer ein Hinweis darauf, daß diese Kinder dringend mehr personale und persönliche Anregung benötigen. Die Geräte abzuschalten genügt allein nicht. Wenn sich die Kinder anschließend selbst überlassen sind, wird man nur nörgelnde Unzufriedenheit oder aggressiven Protest hervorrufen. Das Angebot einer *Alternative,* eines gemeinsamen Vorhabens ist notwendig, um die Freude an anderer Betätigung wieder zu erwecken. Ein gemeinsames Spiel, ein fröhliches Kaffeetrinken oder die Überlegung, wie man die nächsten Fest- und Feiertage begehen will, führen zu einem über den Augenblick hinausgehenden planenden Handeln, das nicht bei der Programmvorschau für den kommenden Tag endet. Die sinnvolle Tätigkeit, Spiel oder Basteln, das sich auch über mehrere

Tage hinzieht, wo es gilt fortzufahren und zu vollenden, schafft den Anreiz einer auch Durststrecken überdauernden Zielgerichtetheit, die das Einschalten des Fernsehers überflüssig werden läßt. Der von den Eltern mit Freude und Anerkennung hervorgehobene täglich erzielte Fortschritt – sei er auch noch so klein – läßt die Bemühungen erstarken, es noch besser zu machen. Wie hoch wird doch das Lob der Eltern, ihr Mitspielen oder das gemeinsame Gespräch von den Kindern geschätzt! In den Augen der Kinder – sofern sie noch nicht fernsehabhängig sind – übertreffen die anwesenden und sich ihrem Kind widmenden Eltern haushoch alles noch so schöne Spielzeug inklusive des Fernsehens.

Der Mittelpunkt der Familie sollte nicht elektronischen Medien zugestanden werden, die träge und abhängig machen, sondern dem geistig-emotionalen Miteinander. Ihm ist aus gegenseitiger Verantwortung der Vorrang einzuräumen. Das Gespräch in der Familie ist wichtiger als die Sprecher im Kasten. Nicht im Wohnzimer ist daher der angemessene Platz für den Fernsehapparat, sondern in einem Nebenraum, zur Not im Schlafzimmer, wo dann auch in Ruhe von den Eltern die eine oder andere Sendung angeschaut werden kann, ohne daß alle Familienmitglieder dieser Berieselung ebenfalls ausgesetzt sind. Das Vorbild von Eltern, die nicht wahllos den ganzen Tag über – selbst während des Abendbrots – fernsehen, sondern die einige wenige Sendungen gezielt aussuchen, beeinflußt positiv die späteren Sehgewohnheiten der Kinder. Kinder, die nicht unter Dauerberieselung aufwachsen, haben es später gar nicht mehr nötig, viel fernzusehen. Sie vermissen dieses auch nicht, da sie mit interessanteren Dingen genügend beschäftigt sind. Die Einschränkung des Fernsehens im Vorschulalter hat sie aktiv und sicherer im Urteil werden lassen. Sie sind dann eher in der Lage, eigenes Können richtig einzuschätzen. Mindern wir nicht diese Entwicklungschance durch ein Gewähren und Erlauben von etwas, was unseren Kindern nicht bekommt!

Märchen helfen erziehen

„Es war einmal", beginnen viele Märchen und führen damit in ein Land der Hexen, Feen und Zauberer, führen uns weit zurück in eine vergangene Zeit. Während Erwachsene diese alten Geschichten leicht mit der Bemerkung „es ist ja nur ein Märchen" abtun, haben Kinder noch einen viel unmittelbareren Zugang zu den Symbolen und Weisheiten dieser Erzählungen. Die Bildersprache des Märchens sagt etwas darüber aus, wie in beängstigenden Situationen, aber auch bei schwierigen Aufgaben „der Mensch es immer schon gemacht hat oder hat machen können" [11]. Moralische Werte des *Guten* und des *Bösen* werden aufgezeigt und geben dem Kind die Möglichkeit, sich mit den helfenden und heilenden Kräften zu identifizieren.

Wenn das Kind dreieinhalb bis vier Jahre alt ist, kann schon mit dem Erzählen kurzer und einfacher Märchen (z. B. Die Sterntaler, Die Bremer Stadtmusikanten) begonnen werden. Dabei ermöglicht der unmittelbare Kontakt zwischen *Erzähler* und Kind, entsprechend dem Verständnis des Kindes mit dem Erzählen fortzufahren oder aber das eine oder andere näher zu erklären und Zwischenfragen zu beantworten. Nicht die Schallplatte oder Kassette, auch nicht das in einigen Großstädten eingerichtete „Märchentelefon" verhelfen zu genauem Zuhören und tieferem Verständnis des Inhalts von Märchen, sondern das Besprechen mit einem Gegenüber. *Nachdem* ein Märchen mehrere Male bereits erzählt wurde und dem Kind bekannt ist, kann dann *gemeinsam* auch die vertonte Fassung auf einer Schallplatte angehört werden. Ein Kind jedoch mit dem Gerät allein zu lassen, heißt nicht nur eine passive Berieselung mit Geschichten zu fördern, sondern man läßt das Kind letztlich allein sowohl mit seinen Verständnisfragen wie auch mit evtl. Ängsten, die durch einige der Märchen wieder belebt werden können.

Ängste, von denen Kinder möglicherweise nach einer Märchenerzählung berichten, beziehen sich häufig nicht allein auf die gehörte Geschichte, sondern haben in der Regel einen durchaus realen Hintergrund: z. B. eine früher erlebte oder noch andauernde beunruhigende und Angst auslösende Situation in der Familie. „Hört nun ein Kind ein Märchen, das seine eigenen Nöte im Bild ausdrückt, das zumindestens eine gewisse Entsprechung zum eigenen – meist unbewußten – Problem hat, so kann eine bestimmte Märchenfigur zum Symbol der individuellen, unbewältigen Problematik werden." [53]. Von daher lassen sich bestimmte Märchen auch zur Bewältigung eigener Nöte einsetzen. Der gute Ausgang des Märchens, die helfenden und heilenden Figuren in den Märchendarstellungen können hilfreich sein, um zur Bewältigung der ängstigenden Probleme in der Seele des Kindes beizutragen. Die symbolische Lösung des Bedrohtseins von Angst und Gefahr im Märchen hilft aber Ängste zu überwinden. Der Sieg des Guten unterstützt daher nicht nur die Moral- und Gewissensbildung des Kindes, sondern gibt auch Ermutigung und Hoffnung, die eigene Verstricktheit überwinden zu können. Der harmonische Ausgang beruhigt und gibt darüberhinaus Zuversicht.

Regelmäßiges abendliches Erzählen eines kurzen Märchens vor dem Einschlafen am Bett des Kindes läßt kleine und große Alltagssorgen vergessen, schafft jene Ruhe und Zufriedenheit, die beruhigt einschlafen läßt. Die Harmonie des guten Ausgangs der Geschichte, die Anwesenheit von Mutter oder Vater lassen dem kommenden Tag fröhlich entgegenblicken. Die Regelmäßigkeit dieses abendlichen Einschlafrituals, das sich ruhig über 15 bis 20 Minuten hinziehen kann, wobei man singen, beten und über den Tag sprechen kann, hilft auch, Schlafstörungen vorzubeugen. Auch von den Eltern selbst ausgedachte Geschichten, in die Inhalte des am Tage Erlebten mit eingeflochten werden, helfen, eigenes Handeln und das der Umwelt bewußter zu verarbeiten.

Es muß nicht jeden Abend ein neues Märchen erzählt werden. Gerade das Verlangen nach Wiederholung der Erzählung desselben Märchens, nach Bekanntem und Vertrautem, zeigt, daß die Inhalte nicht oberflächlich-flüchtig aufgenommen wurden. Indem das Gute im Märchen siegt, bekommt es Vorbildfunktion. Es setzt Akzente, sich selber analog den im Märchen erlebten Prinzipien des Erlaubten und Verbotenen zu orientieren und sich entsprechend zu verhalten. Aggressiv-destruktive und sadistische Impulse können leichter kontrolliert und kanalisiert werden, wenn sie als schädigend und zerstörerisch erkannt werden können. Die Stärkung der positiv-konstruktiven und lebensbejahenden Handlungen ist eine wesentliche, nicht zu unterschätzende Aufgabe des Märchenerzählens.

Allmählich – nachdem eine Geschichte dem Kind bereits gut vertraut ist – kann man auch schon ein wenig miteinander abwechselnd das Märchen erzählen, in dem mit der Frage „und wie geht's weiter?" zu eigener Formulierung des Handlungsablaufs angeregt wird [53]. Auch durch das Nachspielen des Märchens im Rollenspiel wird nicht nur das Gedächtnis geübt, sondern darüber hinaus zu Phantasie und Kreativität angeregt. Das Hineinschlüpfen in verschiedene Rollen erlaubt spielerisches Erproben Identifizieren mit personifizierten eigenen Antrieben. Die mitspielenden Eltern können dabei – unter Hinweis auf den tatsächlichen Ablauf im Märchen – vorsichtig die stärkenden Kräfte zu einem guten Ausgang des Spiels unterstützen.

Nicht alle Märchen sind für Kinder geeignet. Insbesondere bei solchen, in denen die Wirkung der heilenden Kräfte von allzu Schrecklichem und Grausamem überdeckt wird, versperrt die schockierende Wirkung den Zugang zum Verständnis des Märchens.

Ein Erzählen von Märchen hilft jedoch nicht nur Kindern, eine Orientierung und Wertvorstellung zu entwickeln bzw. zu festigen, sondern verdeutlicht auch Erwachsenen allgemeingültige Inhalte verschiedener Lebensstufen. Die große Menge der Volksmärchen trägt tiefe Lebensweisheiten in sich, die nicht nur Kindern ein symbolhaftes Verständnis der Bedeutung und des Sinns der verschiedenen Stationen des Lebens vermitteln.

Sexualität und Aufklärung

> Daß sich Schamgefühl wegmanipulieren läßt,
> *beweist nicht,*
> *daß es anerzogen und als Gefühl*
> *„unnatürlich" ist.*
>
> Joachim Illies

„Wir fahren jedes Jahr im Sommer nach Italien an einen FKK-Strand. Aber obwohl unser Sohn Michael an Nacktheit ausreichend gewöhnt ist – auch zu Hause sind wir da recht freizügig, er schaut schon gar nicht mehr hin – ist er der einzige, der am ganzen FKK-Strand mit einer Badehose herumläuft. Er scheint sich da wohl immer noch zu schämen. Ist mit unserem Sohn irgend etwas nicht in Ordnung?" fragt eine Mutter im Anschluß an einen Vortrag.

Manche Eltern, die selber noch eher streng und prüde erzogen wurden, sind nach der Konfrontation mit der antiautoritären Erziehung und der geforderten „sexuellen Befreiung" von Kleinkindern unsicher, wieweit sie Kindersexualität, „Onanie der Kleinkinder und Geschlechtsverkehr der Puberilen" [68] tatsächlich bejahen oder gar fördern sollen, wie das einige „Sexualfachleute" fordern. Nach dieser Meinung scheinen die Bemühungen der Eltern, Aufforderungen um eine „sexualfreundliche Kultur, in die auch die Kinder integriert sind" [48], zu folgen, um die „sexuelle Potenz" [48] ihrer Kleinkinder nicht verkümmern zu lassen, noch nicht ausreichend gewesen zu sein. „Sowohl Jungen wie Mädchen sind ab einem Alter von etwa fünf Monaten fähig, einen Orgasmus zu erleben, der sich vom Orgasmus Erwachsener in keinem wesentlichen Punkt unterscheidet" [37], wurde ihnen vorgehalten. Müssen sie befürchten, daß die Keuschheit ihres Sohnes seine Intelligenzkapazität mindert?

Die Meinung, daß Sexualität bereits im Kleinkindalter geübt

und vorgeprobt werden müsse, um eine unterdrückungsfreie Erziehung zu gewährleisten, übersieht, daß die Voraussetzung dazu ist, daß sich ein natürliches Schamgefühl entfaltet. „Die primäre Fähigkeit zur Erregung von Teilen des Körpers hat nur eine begrenzte Bedeutung, bevor die Persönlichkeit des Kindes sich gefestigt hat“ [86]. Die Sexualtheorie, die zur genitalen Manipulation der Kinder auffordert, übersieht, daß sie anderes und mehr zu ihrer Entwicklung benötigen als Selbststimulation und Selbstbefriedigung. „Die Masturbation ist weder normal noch gesund, noch irgendetwas sonst, sondern sie ist das Symptom einer Störung der emotionalen Entwicklung. Die zwanghafte Masturbation, ebenso wie das zwanghafte Hautreiben, Nägelkauen, Schaukeln, Kopfschlagen oder Schütteln, Daumenlutschen oder ähnliches mehr weisen auf eine bestehende Angst hin“ [86]. Darüber hinaus kann durch die Anregung und Unterstützung frühkindlicher Onanie durch die Eltern eine repressive Beeinflussung der Kinder in anderer Richtung einsetzen, nämlich der Unterdrückung eines natürlichen, nach außen gerichteten Spielbedürfnisses zugunsten einer zwanghaften Onanie [50].

Nichtsdestotrotz sollten sich Eltern ihre kritische Haltung gegenüber angeblich modernen Sexualanweisungen bewahren: „Unsere Sexualorgane haben einen Zweck, die wollen genutzt werden. Und wenn sie nicht genutzt werden, dann sterben sie und ihre Funktion ab... Wie soll denn ein Kind überhaupt die Benutzung seiner Finger lernen, wenn nicht dadurch. Der Sinn der Säuglingsmasturbation ist die Einübung der Motilität der Finger. Ein Kind, das nicht als Säugling masturbiert, entwickelt die Motilität seiner Hände sehr viel später, es entwickelt sich langsamer. ... Einer der Gründe der schwierigen sexuellen Entwicklung des abendländischen Menschen sind die Windeln. Wenn das Kind nicht an seine Sexualorgane herankann, ist es in seiner gesamten sexuellen Entwicklung lebenslang gestört“ [6a].

Ein Verharmlosen und als normal Einstufen auffälliger Verhaltensweisen durch die Erzieher mindert nicht die Belastung einer Beeinträchtigung der seelischen Empfindsamkeit des Kindes. Die an dieser Stelle beobachtbare kindliche Neugier am Erforschen des eigenen Körpers hat nichts mit einer Erwachsenensexualität zu tun, die man meint vorüben zu müssen, um späteren Sexualnöten vorzubeugen. Mitunter mag auch die Frage berechtigt sein, inwieweit das so interessierende und scheinbar wissenschaftlich notwendige Aufklärungsgetue nicht eher eigenen unabgesättigten Wünschen und Begierden entgegenkommt als den Fragen des Kindes. Kinder sind keine kleinen Erwachsenen, und es ist entwicklungshemmend, sie über ihre Fragen hinaus mit Reizen und anatomischem Detailwissen zu belasten, das ihrem Alter nicht gemäß ist.

Es liegt fern, eine verklemmte Prüderie zu idealisieren. Ein Abbau sämtlicher Tabus jedoch erzieht zu einem „primitiven Biologismus" [29], der zu vergessen droht, daß „Liebe und Zeugung mehr sind als nur natürliche Funktionen", „Sexualität ein Mittel, aber nicht ein Zweck und einzige Ausdrucksform der Liebe ist" [29]. Aufklärung heißt, Information und Abbau von Vorurteilen, sowie kindgemäße Beantwortung gestellter Fragen, keine Konfrontation mit darüber hinaus gehenden Erklärungen, nach denen gar nicht gefragt worden ist. Die emotionale Verarbeitungsfähigkeit Drei- bis Vierjähriger wird durch die Darstellung von Zeugung und Geburt in allen Einzelheiten überfordert. Die Frage z. B. nach dem Grund der Geschlechtsunterschiede erwartet zunächst keine Einweisung in die Physiologie sexueller Reaktionen von Mann und Frau, sondern ist mit der beruhigenden Antwort zufrieden, daß diese Unterschiede angeboren sind. „Alle weitere Aufklärung ist falsch, wenn die Kinder nicht ausdrücklich danach fragen" [55]. Nicht das gemeinsame Baden von Geschwistern und nicht gelegentliches Manipulieren am Genitale schafft Störungen und läßt Fragen und Unsicherheit entstehen, sondern die *stete* Demonstration und Berieselung mit Sexualität, wodurch ein Schamgefühl sich überhaupt nicht erst entfalten kann. Kinder zu sexuellen Spielen zu ermuntern und sie in den Sexualverkehr der Eltern mit einzubeziehen [22], heißt, die Funktion der Scham als Schutzhülle für die noch verwundbare kindliche Seele zu mißachten [29] und eine mögliche Beeinträchtigung der späteren Liebesfähigkeit der Kinder bewußt in Kauf zu nehmen.

Als seine Töchter drei Jahre alt gewesen seien – berichtet ein Vater –, habe er sie ungezwungen und mit Vergnügen in allen Einzelheiten über die Funktion der Geschlechtsteile informiert. Beim Baden habe er seine Geschlechtsteile genau ansehen lassen, sie erklärt und die Mädchen ermuntert, sie anzufassen und damit zu spielen. Dieses habe den Mädchen – und auch ihm selber – immer viel Spaß bereitet. Überhaupt habe er schon ganz früh immer nackt mit seinen Töchtern im Bett gespielt, geschmust, sie überall gestreichelt und geküßt. Als seine Tochter Marion – wegen der er zur psychologischen Beratung gekommen ist – jedoch drei Jahre alt gewesen sei, habe er mit Enttäuschung und Verwunderung bemerkt, daß sie auf seine Zärtlichkeit passiv und gleichgültig reagierte, nicht wie ihre Schwester bei seiner Umarmung zupackte, sondern sie über sich ergehen ließ. Mit fünf Jahren habe sie die abendlichen Zärtlichkeiten des Vaters sogar zurückgewiesen: „Geh, ich will mit dir reden, nicht schmusen!" Auch wenn die Eltern vor den Kindern Zärtlichkeiten austauschten, hielt sich die Tochter die Augen zu und drehte sich weg. Auch bei Kußszenen im Fernsehen verdeckte sie verlegen die Augen mit der Hand oder lief sogar weg.

Nach so viel praktizierter Freizügigkeit hatte der Vater diese Reaktion nicht erwartet und war besorgt, ob er – die gesunde Abwehr von Marion fehldeutend – seiner Tochter vielleicht zu wenig an visueller Aufklärung mit Körperkontakt geboten hatte. Nicht jedoch die frühe sexuelle Stimulierung und das bewußtmachende Hervorzerren [55] bewirkt die Entfaltung zu späterer Reife der noch schlummernden Knospe Sexualität, sondern der Verzicht auf triebhafte Überrumpelung und die Beachtung des Schamgefühls als existentiellen Wert [29, 30].

Wenn allzu forsche Sexologen Eltern von der Notwendigkeit der frühen sexuellen Stimulierung ihrer Kinder zu überzeugen versuchen, sollte immer auch bedacht werden, daß dadurch nicht nur Neurosen erzeugt werden können, sondern damit auch einige von ihnen eine ganz handfeste politische Manipulation beabsichtigen: So schreibt z. B. ein Erziehungswissenschaftler: „Wir brauchen die sexuelle Stimulierung der Schüler, um die sozialistische Umstrukturierung der Gesellschaft durchzuführen und den Autoritätsgehorsam einschließlich der Kinderliebe zu den Eltern gründlich zu beseitigen" [21].

Die Basis für das spätere Sexualleben wird in der Kindheit gelegt. Es hängt von der frühen Erfahrung ab, ob eine gesunde oder eine Fehlentwicklung mit Abnormitäten sich anbahnt. Eine primitive Weise der Sexualisierung kann die Entwicklung auf einer frühen Stufe stagnieren und fixieren lassen, ohne zu einer auf ein „Du" gerichteten Beziehung zu gelangen. Die entwicklungsbedingte Verliebtheit der kleinen Tochter in den Vater und das Hingezogenwerden des kleinen Sohnes zur Mutter läßt die Eltern als erstes Liebesobjekt Vorbild werden bei einer späteren Partnerwahl. Wie groß ist die Verantwortung, die Zuneigung der Kinder nicht zu mißbrauchen und hinter kindlichem Werben und kindlicher Neugier nicht mehr zu vermuten, als tatsächlich ausgedrückt wird! Nicht ein Abbau des Inzesttabus – wodurch Abwehr und Widerstände erzeugt werden – erleichtert die Übernahme und Identifizierung mit der eigenen Geschlechtsrolle, sondern eine von beiden Eltern vorgelebte fröhliche seelisch-geistige Partnerschaft ist Vorbild.

Harmonie in der Ehe

> Die Familie verfügt über
> große *schöpferische Kräfte.*
> *Zerfällt sie,*
> *wächst ihr ein ähnlich großes Potential*
> *an Zerstörungskraft zu.*
>
> Robin Skynner

Einigkeit der Ehepartner in den wesentlichen Erziehungsfragen ist ein ideales, aber leider nicht immer erreichbares Ziel eines harmonischen Familienlebens. Unterschiedliche Auffassungen bezüglich dieses oder jenes Erziehungsproblems müssen aber durchaus nicht Uneinigkeit und einander widersprechende Erziehungsmaßnahmen auslösen. Extreme und voneinander abweichende Vorstellungen können auch im gemeinsamen Gespräch hinterfragt und ausgeglichen werden. Nicht allein die persönlichen Erfahrungen der eigenen Kindheit sollten dabei Maßstab eigener Erziehungsgrundsätze sein, sondern die im gemeinsamen Gespräch aufeinander abgestimmten Erziehungsziele.

Denn Mutter *und* Vater tragen die Verantwortung für die Entwicklung ihrer Kinder gemeinsam. Es wäre fahrlässig, diese Aufgabe einem Partner allein zu überlassen.

Trotz besten Bemühens lassen sich Uneinigkeit und Streit zwischen den Eltern jedoch nicht immer vermeiden. Für die Kinder wird die Situation schwierig und belastend, wenn sie lautstarke oder sogar tätliche Auseinandersetzungen miterleben müssen. Die dadurch möglicherweise ausgelöste, tiefe Beunruhigung läßt Kinder aber keineswegs lebensfroh ihrer Zukunft entgegenblicken, sondern verstärkt die Verunsicherung und das Empfinden, daß Ehe, Partnerschaft und Familie ein unberechenbarer Vulkan aggressiver und zerstörerischer

Elemente seien, worauf sich einzulassen risikoreich, gefährlich und eine permanente Belastung sei.

Der in der Kindheit erfahrene Mangel der stabilen Basis eines harmonischen Elternhauses läßt die Persönlichkeitsentwicklung viel eher auf schwankendem Boden sich vollziehen. Eine spätere eigene Familiengründung erscheint dann als Risiko, was die hohen Scheidungsziffern belegen. Elterliche Verantwortung für die eigenen Kinder kann sich daher nicht mit kurzfristigen Augenblicksmaßnahmen zufrieden geben, sondern sollte – weit vorausschauend – auch die folgenden Jahre mit im Blickfeld haben. Wenn schon die Erziehung in den ersten Lebensjahren als wichtig, entscheidend und nicht provisorisch aufgefaßt wird, und man nicht meint, zunächst noch beliebig herumprobieren zu könne, wird diese bewußt beharrlich und konsequent durchgeführte Erziehung der ersten Lebensjahre die zukünftige Entwicklung der Kinder unkompliziert verlaufen lassen.

Hans wachte jede Nacht schreiend auf, schlug im Schlaf um sich und kroch Schutz suchend ins Bett seiner Mutter. Am Tage erlebte er beinahe täglich tätliche Auseinandersetzungen zwischen seinen Eltern: sein Vater schlug seine Mutter, bedrohte sie mit dem Küchenmesser oder warf die Stehlampe nach ihr. Oft lief seine Mutter dann mit Hans zu Nachbarn oder verbarg sich im Garten, bis der schreckliche Spuk wieder vorbei war. Immer aber wenn der Vater getrunken hatte, wiederholten sich dieselben dramatischen Bilder, die Hans auch im Traum noch verfolgten. Um die Mutter den Wünschen des Vaters gefügig zu machen, war dieser im Rausch sogar einmal nachts mit brennendem Feuerzeug an das Bett seines Sohnes gegangen, wodurch Hans angstvoll schreiend aufwachte. Schließlich war die Mutter aus Verzweiflung mit ihrem Sohn wieder zu ihren eigenen Eltern gezogen in der Hoffnung, dort Ruhe und Frieden für sich und das Kind finden zu können. Nach einem sonntäglichen Kirchgang mit ihrem Sohn mußte sie jedoch ohnmächtig zusehen, wie – als sie die Kirche verließen – der Vater den sich wehrenden Hans in ein bereitstehendes Taxi zerrte und wieder mit nach Hause nahm. Daheim – nachdem die Mutter des Kindes wegen wieder zurückgekehrt war – fühlte sich Hans dann wieder hin- und hergerissen zwischen einem brutalen Vater und sich streitenden Eltern einerseits und zwischen schöntuenden und Harmonie heuchelnden Eltern andererseits, die ihn aus schlechtem Gewissen mit Geschenken überhäuften. Die Hoffnung auf eine endgültige Beendigung von Haß und Streit ließ die Eltern die notwendige Konsequenz des nicht miteinander Lebenkönnens nicht ernsthaft besprechen. Man drohte zwar täglich, sich zu trennen, doch die faktisch vollzogene seelische Trennung wurde nicht konkret äußerlich vollzogen, sondern durch immer wieder erneuten Streit für jeden einzelnen in der Familie zu einem Martyrium.

Beide Eltern hatten in ihrer eigenen Kindheit ebenfalls viel Streit und Auseinandersetzungen kennengelernt. Sie hatten erlebt, wie ihre eigenen Eltern sich hatten scheiden lassen und anschließend in einer eheähnlichen Verbindung zwar mit einem neuen Partner, aber nicht in einer besseren seelischen Beziehung zusammen lebten. Wie wird es Hans in einer späteren Partnerschaft ergehen?

Zum dritten Mal will Herr Dr. O. wieder heiraten; er ist ein angesehener Arzt mit großer Praxis. Großzügig hat er schon seiner ersten Frau bei der Scheidung das neuerbaute Haus überschrieben. Das zweite Haus wird ebenso großzügig seine zweite Frau erhalten. Ein Neubau für die dritte Ehefrau steht bereits im Rohbau. Doch werden sich die zwischenmenschlichen Konflikte von Dr. O. ebenso leicht lösen lassen, wenn es doch offenbar auf anderes als auf räumlich-materielle Flexibilität anzukommen scheint? Ist eine neue Ehe dann nur ein Tapetenwechsel, mal was Neues, ein notwendiges Accessoire, um gesellschaftlich „in" zu sein? Muß nicht befürchtet werden, daß Streit und ungelöste Konflikte der beiden ersten Ehen auch ins neue Haus mit einziehen und die ohnehin gestörte Entwicklung der Kinder zusätzlich gefährdet werden? Ein Umzug, ein Wechsel der Umgebung und der ständigen Begleiterin mindert eigene unbewältigte Konflikte nicht im mindesten. Läßt sich die Situation auf diese Weise überhaupt jemals bessern?

Eigene Probleme und damit zu einem gewissen Prozentsatz auch eigene Schuld und eigenes Versagen zuzugeben, ist oft so schwierig, daß vordergründig-äußere Aktivitäten herhalten müssen, um den Anschein des Richtigen und Korrekten aufrecht zu erhalten. Mit seelischen Trümmern wird die glänzende Fassade einer gutsituierten Familie gezimmert, der infolge ihrer Brüchigkeit und tiefen Risse doch wieder nur der baldige Einsturz droht. Seelische Wunden lassen sich nicht unbegrenzt kitten und übertünchen. Zu groß ist die Gefahr, daß die bestehende Kluft und innere Gespaltenheit sich vertieft und größere Schäden nach sich zieht. Auch eine Heirat oder Partnerschaft ist dort keine Bereicherung, wo die Beziehung nur als Krücke und Stütze eigener Fehlerhaftigkeit eingegangen wird. Selbständigkeit und Unabhängigkeit *beider* Partner machen sie erst miteinander lebensfähig, führen zu einer gegenseitigen Bereicherung der seelischen Erlebnisfähigkeit. Bei tiefgreifenden Problemen hilft kein Herumdoktern, sondern nur gezielte therapeutische Hilfe.

Probleme und atmosphärische Störungen in der Familie müssen jedoch gar nicht so drastisch und lärmend sein, um Beunruhigung und Verwirrung bei Kindern entstehen zu lassen. Bereits der Streit um ein Fernsehprogramm oder über das Ziel des Sonntagsausfluges kann für den Rest des Tages die Stimmung gefrieren lassen. Dabei ist noch nicht einmal die Meinungsverschiedenheit an sich für das Familienklima belastend, sondern die Art und Weise, wie der Konflikt ausgetragen wird. Probleme werden im zwischenmenschlichen Leben immer wieder auftreten, lassen sich auch bei bestem Bemühen nicht immer vermeiden; und es wäre nicht einmal gut, wenn verschiedene Meinungen ungeäußert blieben. Entscheidend ist jedoch, daß unterschiedliche Auffassungen in gegenseitiger Achtung besprochen werden können und ein Abwägen des Für und Wider möglich ist, ohne daß Haß und Streit und Nicht-mehr-miteinander-Sprechen die Folge ist. An der *konstruktiven* Auseinandersetzung ihrer Eltern lernen Kinder, auch eigene Probleme zu artikulieren und zu lösen.

Zuhören und Aufmerken bei den – wenn auch noch so kleinen – Sorgen der Kinder schafft die Basis zur Erarbeitung einer Lösung im gemeinsamen Gespräch. Der regelmäßige und intensive Kontakt zwischen Eltern und Kind bestärkt die Erfahrung, mit eigenen Ängsten nicht allein zu stehen. Er mindert das Gefühl, nur ein Spielball unkontrollierter Stimmungen der Eltern zu sein. Unter diesem Aspekt kommt der gegenseitigen Versöhnung der Eltern eine besondere Bedeutung zu: Indem der Unfrieden beseitigt wird vermitteln Eltern ihren Kindern die wichtige Erfahrung, daß trotz unterschiedlicher Auffassungen die grundsätzliche Liebe füreinander und für das Kind nicht in Frage gestellt wird.

Berufsmäßige, körperliche oder wetterbedingte Abgespanntheit lassen es jedoch mitunter schwer werden, immer über die notwendige ausgeglichene Gesprächsbereitschaft zu verfügen. Dissonanzen sind keineswegs immer vermeidbar. Jedoch sollten diese nicht durch herausfordernde Rechthaberei noch verstärkt oder erst entfacht werden, zumal wenn offenkundig ist, daß einer der Partner unter äußeren Bedingungen leidet. Zu viel Streit direkt vor den Kindern oder aber auch für diese aus dem Nebenzimmer miterlebbar ist für sie schädlich!

Lassen sich strittige Fragen nicht sogleich klären, sollten diese abends, wenn die Kinder im Bett sind, miteinander besprochen werden. Die abendliche Muße des gemeinsamen Gespräches wird nicht nur eine Klärung der die Kinder betreffenden Fragen ermöglichen, sondern auch das gegenseitige Verständnis der Eltern füreinander vertiefen. Auch für Eltern ist das Gespräch wichtiger als ein regelmäßiger abendlicher Fernsehkonsum, auf den man im Familieninteresse auch einmal verzichten sollte!

Weil Angelika aus dem Kindergarten fremdes Spielzeug mitgebracht hatte, verbot ihr die Mutter an diesem Tag die Kinderstunde im Fernsehen am späten Nachmittag. Außerdem sollte das Spielzeug dem anderen Mädchen wieder zurückgebracht werden. Immer wieder hatte Angelika ihre Mutter gebeten und gebettelt, um doch noch ihre Lieblingssendung sehen zu dürfen. Liebevoll, aber bestimmt hatte die Mutter abgelehnt und konsequent die angeordnete Konsequenz beibehalten. Als der von dem Vorfall nichts ahnende Vater zur Tür hereinkommt, „fliegt" Angelika sofort auf ihn zu und bittet ihn, doch mit ihr zusammen die Sendung anzuschauen. Als die Mutter, die vorübergehend im Keller beschäftigt gewesen war, wieder ins

Wohnzimmer kommt, sitzen Vater und Tochter einträchtig auf der Couch vor dem laufenden Fernsehapparat. Ein Grund für die Mutter, mit dem nichtsahnenden Vater zu streiten?

Immer in solchen Situationen besteht die Gefahr, daß über das verärgernde Verhalten des Kindes hinaus die Eltern zusätzlich miteinander in Streit geraten, weil sie die Situation aufgrund unterschiedlicher Kenntnisse der Sachlage von entgegengesetzten Standpunkten beurteilen. Wütende und aufgebrachte Reaktionen gegeneinander bewirken dann häufig nur, daß einer der Eltern sich genötigt sieht, das Kind gegenüber den angeblich ungerechtfertigten Beschuldigungen des anderen Partners in Schutz zu nehmen. Je mehr einer verbietet, meint der andere, erlauben zu müssen, wodurch sich die Eltern von einer einheitlichen Erziehung nicht nur immer weiter entfernen, sondern auch eine persönliche Abwehr gegeneinander entwickeln. Wechselseitig fühlen sie sich unverstanden. Schließlich wird das Kind zum Zankapfel und zum Objekt von Rechthaberei.

Verbündet sich einer der Eltern mit dem Kind gegen den anderen, wird es bald lernen, sie bewußt gegeneinander auszuspielen und dadurch die Grenze zwischen Erlaubtem und Verbotenem sehr flexibel zu handhaben wissen. Wie in einem Boot bei einem weit sich hinauslegenden Insassen die Balance nur aufrecht erhalten werden kann, wenn der andere Insasse sich zur anderen Seite hinauslegt, werden die zur Anwendung kommenden Erziehungsmethoden bei Uneinigkeit der Eltern immer extremer. Härte und Verwöhnung wechseln dann einander ab wie Zuckerbrot und Peitsche. Nur aber, wenn ein Ehepartner bereit ist – um beim Bild des Bootes zu bleiben – das scheinbare Gleichgewicht aufzugeben und sich mehr zur Mitte zu orientieren, wird auch der Partner seinerseits seine extreme Erziehungshaltung aufgeben können. Nur sollte man nicht darauf warten, daß der andere den ersten Schritt tut.

Immer wieder läßt sich die Erfahrung machen, daß eine innere Harmonie in der Ehe Erziehungsprobleme gar nicht erst entstehen läßt oder aber Streit diese drastisch verstärkt. Eheprobleme müssen aber durchaus nicht einzige Ursache und allein auslösender Faktor sein für die Probleme beim Kind. Angst wegen eines evtl. Mitverschuldens der Schwierigkeiten des Kindes sollte jedoch nicht den Gang zum Psychotherapeuten verhindern. Nach Schuld wird dort nicht gefragt. Die *Besserung* einer Situation ist das Anliegen von Beratung und Therapie, nicht die Verdammnis, zumal sich doch immer auch beide Eltern bemüht haben. Die Änderung einer Situation herbeizuführen ist aber keineswegs alleinige Aufgabe der Mutter, sondern auch der Vater kann – oft mehr als ihm bewußt ist – sehr zur Heilung seiner Kinder beitragen.

Das Einssein der Eltern schafft Kindern Geborgenheit, vermittelt ihnen Sicherheit. Uneinigkeit und zum Ausdruck gebrachte unterschiedliche Erwartungen der Eltern z. B. dadurch, daß sie sich nicht einigen konnten über den Namen des Kindes, läßt das Bewußtsein einer Identität des Kindes nur schwer entstehen. Wenn nun der Vater „Hans" ruft, die Mutter aber „Stefan" oder gar „Stefanie" ist die Verwirrung groß, wer man sein soll und wie man sein will, um es den Eltern nur recht zu machen. Konflikte sind von Kindern kaum lösbar, wenn ihre Eltern uneins sind.

Kinder brauchen Mutter *und* Vater; wie schön, wenn diese Verpflichtung auch von beiden tagtäglich gesehen und akzeptiert wird!

Psychotherapieferien©

Um Kindern und ihren Eltern bei aufgetretenen Schwierigkeiten und Problemen zu helfen, haben wir ein neues Konzept der Intensivtherapie erarbeitet, welches ermöglicht, Verhaltensauffälligkeiten und Störungen in relativ kurzer Zeit zu harmonisieren:

> Eingebettet in einen ferienähnlichen Aufenthalt auf der Nordseeinsel Norderney können sowohl Entwicklungsdefizite nachholend abgebaut, als auch aktuell bestehende psychische Probleme therapiert werden.

Während der Psychotherapieferien wohnen Kind oder Jugendlicher gemeinsam mit dem mitreisenden Elternteil in einer Ferienwohnung, wo sie sich selbst versorgen und in Ruhe schalten und walten können. Bei zwischenzeitlich noch auftretenden schwierigen Situationen ist jedoch auch kurzfristig eine Rücksprache und Intervention möglich.

Es hat sich bewährt, daß in der Behandlungszeit von durchschnittlich vier Wochen lediglich einer der Eltern anwesend ist. Geschwister und Anverwandte sollten – außer nach Rücksprache mit dem Therapeuten – in dieser Zeit die Intensität der therapeutischen Arbeit möglichst nicht unterbrechen.

Die Erfahrungen zeigen, daß in einer neuen Umgebung unter therapeutischem Schutz Veränderungen leichter möglich sind und in vielen Fällen sonst notwendige stationäre Behandlungen vermieden werden können, wie z. B. bei Eßkrankheiten der Magersucht und Bulimie.

Auskunft und Anmeldung:

Psychotherapieferien Dr. Schetelig

Emsstraße 25,

D-2982 Norderney

Telefon: 04932/2920 (zwischen 14 und 15 Uhr)

Anhang

La Leche League

LLL Deutschland: Postfach 96, 8000 München 65
LLL Österreich : Postfach, A-6500 Landeck
LLL Schweiz : Postfach 197, CH-8053 Zürich

Aktionskomitee „Kind im Krankenhaus" e.V.
Bundesgeschäftsstelle:
Kirchstr. 34, 6370 Oberursel 4
T.: 06172/303600

Deutsche Liga für das Kind
Prinz-Albert-Str. 30, 5300 Bonn 1
T.: 0228/262625
FAX 0228/264515

Literatur

[1] Archavsky, I. A.: Immediate breastfeeding of newborn infant in the prophylaxis of the so-called physiological loss of weight. Vopr. Pediat. 20, 45–53 (1952).

[2] Atkinson, S. A.; Bryan, H. H.; Anderson, G. H.: Human milk: Differences in nitrogenic concentration in milk from mothers of term and premature infants. The journal of Pediatrics 93, 67–69 [1978].

[3] Baerlocher, K.: Grundlegende Aspekte der Säuglingsernährung. Vortrag in Gwatt/Schweiz am 28. 4. 1977.

[4] Biermann, G. (Hrsg.): Mutter und Kind im Krankenhaus. Reinhardt Verlag, München/Basel 1978.

[5] Biermann, G.; Biermann, R.: Gabi geht ins Krankenhaus. Reinhardt Verlag, München/Basel 1973.

[6] Boehncke, H.; Gerhard, J.: Der Vernachlässigung des „unauffälligen" Neugeborenen. Kinderarzt 8, 35–42 (1977).

[6a]BORNEMANN,E.: zitiert nach SCHETELIG,H.: Neue Tendenzen der Sexualerziehung in der Familie. Sozialpädiatrie *4*, 321–327 (1982)

[7] Brunn, S.; Schmidt, E.: Die Kunst des Stillens. Lector Verlag, Altendorf 1979.

[8] Czermak, H.: Zur Behandlung der initialen und sekundären Hypogalaktie. Annales Pediatrics 180, 28–51 (1953).

[9] De Château, P.; Andersson, Y.: Left-side preference for holding and carrying newborn infants. II: Doll-holding and carrying from 2 to 16 years. Develop. Med. Child Neurol. 18, 738–744 (1976).

[10] De Château, P.; Holmberg, H.; Winberg, J.: Left-side preference in holding and carrying newborn infants. Acta Paediatr. Scand 67, 169–175 (1978).

[11] Dieckmann, H.: Märchen und Träume als Helfer des Menschen. Bonz Verlag, Stuttgart 1966.

[12] Dreikurs, D.; Soltz, V.: Kinder fordern uns heraus. Klett Verlag, Stuttgart 1976.

[13] Droese, W.; Stolley, H.: Kritische Bemerkungen zur Säuglingsernährung. Pädiat. Prax. 13, 1–10 (1973/74).

[14] Ehler, M.: Ich will mein Kind stillen. Brockhaus Verlag, Wuppertal 1978.

[15] Eibl-Eibesfeldt, I.: Grundriß der vergleichenden Verhaltensforschung. Piper Verlag, München/Zürich 1978.

[15a] Eibl-Eibesfeld, I.: Fremdenfurcht und Friedenswille. Ärztliche Praxis 31, 2099–2101 [1979].

[16] Eisenberg, W.: Eltern-Kind-Beziehung bei Frühgeborenen und kranken Neugeborenen. Vortrag 1977.

[17] Ewerbeck, H.: Zit. n. Rodeck, H.

[18] Fuchs, A.; Gaspari, C.; Millendorfer, J.: Makropsychologische Untersuchungen der Familie in Europa. Studiengruppe für internationale Analysen, Wien 1977.

[18a] Gamm, H. J.: Zit. n. Berger: Über neurotische Verwahrlosung von Jugendlichen. Kinderarzt 11, 1569–1574 (1980).

[19] Galm, D.: Kind und Krankenhaus. Praxis Kinderpsychol. Kinderpsychiat. 15, 58 (1966).

[20] Gydal, M.: Ole kommt ins Krankenhaus. Carlson Verlag, Reinbeck 1974.

[21] Hassauer, W.: Menschengemäße Geburtshilfe. Soziale Hygiene Nr. 31.

[22] Heggli, J.: Kinder- und Jugendsexualität in der Krise. Verlag des Schweizerischen Instituts für Sexualforschung, Zürich 1976.

[23] Hellbrügge, Th.: Kinderärztliche Aspekte des Fernsehens. In: Silbermann, A.; Heinrichs, H.; Liebert, R. M.; Hellbrügge, Th.; Undeutsch, U.: Aggression und Fernsehen. Katzmann Verlag, Tübingen 1974.

[24] – Das sollten Eltern heute wissen. Kindler Verlag (o.J.).

[25] Henke, H.; Kosmale, A.; Spindler, Ch.: Berufstätige Mütter – „Mutter" als Beruf. Theorie und Praxis der sozialen Arbeit 4: 139 (1972).

[26] Hirs, M.: Spielsachen für das bettlägerige Kind. Arbeitsausschuß für gutes Spielzeug, Neue Straße 92, 7900 Ulm.

[27] Hornstein, W.: Brief an Prof. Hassenstein v. 13. 3. 1974.

[28] Huxley, A.: Schöne neue Welt. 1953.

[29] Illies, J.: Feigenblatt und Lorbeer. Schünemann Universitätsverlag, 1971.

[30] – Der Mensch in der Schöpfung. Fromm Verlag, Osnabrück 1977.

[31] Jackson, E.: A Hospital rooming-in unit for newborn and their mother. Pediatr. 18 (1948).

[32] Jürgens, H. W.: Die Ein-Kind-Familie, die Familie der Zukunft? Fortschr. Med 96, 2223 (1978).

[33] Klaus, M. H.; Kennel, J. H.: Maternal-infant bonding. The C. V. Mosby Company, Saint Louis 1976.

[34] Klaus, M. H.; Kennel, J. H.: Auswirkungen früher Kontakte zwischen Mutter und Neugeborenem auf die spätere Mutter-Kind-Beziehung. In: Biermann, G.: Jahrbuch der Psychohygiene, 2. Bd. Reinhardt-Verlag München/Basel 1974.

[35] Kentler, H.: zit. n.: Meves, Ch. 1971b.

[36] Keuth, U.: Maximal liberalisierte Besuchsregelung in der Kinderklinik. In: 1. Harlachinger Symposium „Pflege des Eltern-Kind-Kontaktes im Kinderkrankenhaus". 25. 2. 1978, Schriftenreihe Nestlé-Diät.

[37] Kinsey, A. C.: Das sexuelle Verhalten der Frau. Fischer Verlag, Frankfurt 1966, zit. n.: Mc Bride 1974.

[38] Kron, R. E.: Saugverhalten des Neugeborenen und Beruhigungsmittel in der Geburtshilfe. Ped. 37, 1012–1016 (1966).

[38a] La Leche League: Handbuch für die stillende Mutter (Beziehbar über die Kontaktschriften der La Leche League im Anhang).

[39] Lang, R.: 1974, zit. n. Klaus, H.; Kennel, J. H.: Maternal-infant bonding. The C. V. Mosby Company, Saint Louis 1976.

[39a] Langenmayr, A.: Familiäre Umweltfaktoren und neurotische Struktur. Verlag f. Med. Psychol. im Verlag Vandenhoeck & Ruprecht, Göttingen 1975.

[39b] – Familienkonstellationen, Persönlichkeitsentwicklung, Neurosenentstehung. Verlag f. Psychologie Dr. C. J. Hogrefe, Göttingen 1978.

[40] Leach, G. M.: A comparison of the social behaviour of some normal and problem children. In: Blurton-Jones (Hrsg.): Ethological studies of child behaviour. Cambridge University Press 1972.

[41] Lind, J.: Geburt der Familie in der Frauenklinik. In: Biermann, G. (Hrsg.): Jahrbuch der Psychohygiene, 2. Bd., Reinhardt Verlag, München/Basel 1974.

[42] Londerville, S.: Security and obedience. Honors thesis submitted to the Department of Psychology, Univ. of California at Berkeley 1975.

[42a] Lothrop, H.: Das Stillbuch. Kösel-Verlag, München 1980.

[43] Löwnau, H. W.: Biosoziale Ursachen von Verhaltensanomalien im Kindes- und Jugendalter. Klin. Pädiat. 188, 1 (1976).

[44] Maccoby, E. E.; Feldmann, S. S.: Mother attachment and stranger-reaction in the third year of life. Soc. Res. Child Dev. 37 (1972).

[45] MacFarlane, J. A.: Olfaction in the development of social preference in the human neonate. In: Parent-infant-interaction. Ciba Foundation Symposium 33, Elsevier, Excerpta Media, Amsterdam/Oxford 1975.

[46] Main, M.: Sicherheit und Wissen. In: Grossmann, K. E.: Entwicklung der Lernfähigkeit. Kindler Verlag, München 1977.

[47] Marvin, R. S.: Attachment and communicative behaviour in two-, three- and four-year-old children. Diss. University of Chicago 1972.

[48] McBride, W.; Fleischhauer-Hardt, H.: Zeig Mal! Jugenddienst Verlag, Wuppertal 1974.

[49] Meves, Ch.: Erziehen lernen aus tiefenpsychologischer Sicht. Bayerischer Schulbuchverlag, München 1971a.

[50] – Manipulierte Maßlosigkeit. Herder Verlag, Freiburg/Basel/Wien 1971b.

[50a] – Verhaltensstörungen bei Kindern. Piper Verlag, München 1973.

[51] – Kinderschicksal in unserer Hand. Herder Verlag, Freiburg/Basel/Wien 1974.

[52] – Brutkastenkinder. Schleswig-Holsteinisches Ärzteblatt 5, 277–280 (1976a).

[53] – Erziehen und Erzählen. Über Kinder und Märchen. Kreuz Verlag, Stuttgart/Berlin 1976b.

[54] – Antrieb – Charakter – Erziehung. Fromm Verlag, Osnabrück 1977.

[55] – Gedanken zur Geschlechtserziehung. Lebendiges Zeugnis 33, 20 (1978).

[56] – Vater sein – Ein Geheimnis. Epoche 1:9–11 (1979).

[57] Meves, Ch.; Illies, J.: Mit der Aggression leben. Herder Verlag, Freiburg/Basel/Wien 1975.

[58] Meves-Schetelig, U.: Die erste Lebenswoche. Dissertation, Kassel 1980.

[59] Montagu, A.: Körperkontakt. Klett Verlag, Stuttgart 1974.

[60] Morath, M.: Differences in the non-crying vocalisations of infants in the first four months of life. Neuropädiatrie 8, 543 (1977).

[61] Newton, M.; Newton, N.: Normaler Verlauf und Handhabung der Laktation. Clin. Obstet. Gyn. 5 55 (1962).

[62] Newton, N.: Psychologic differences between breast and bottle feeding. The American Journal of Clinical Nutrition 24, 993–1004 (1971).

[63] Noack, H.; Atai, H.: Klinikgeburt mit Ehemann. Geburtsh.Frauenheilk. 36, 340–343 (1970).

[64] Orwell, G.: Farm der Tiere. Fischer Verlag, Frankfurt a. M. 1958.

[65] Plohn, H.: Ratgeber für Kinderspiele. Humboldt Verlag.

[66] Projektgruppe „Tagesmütter": Zwischenbericht für die wissenschaftliche Begleitung des Modellprojekts „Tagesmütter". Manuskript, München 1978.

[67] RA, J. B.: A comparison of preschool children's preferences for television and their parents. Journal of Social Psychology 102, 163–164 (1977).

[68] Reich, W.: Massenpsychologie des Faschismus. Zur Sexualökonomie der politischen Reaktion und zur proletarischen Sexualpolitik. Verlag für Sexualpolitik, Kopenhagen/Prag/Zürich 1934.

[69] Rodeck, H.: Kind Eltern im Kinderkrankenhaus. Kinderarzt 8, 95 u. 250 (1977).

[70] Röhm, H.: Über Reaktionen zwischen infantilen Affekterlebnissen und intellektueller Entwicklung. Zeitschr. f. Kinderpsychol. Kinderpsychiat. 21, 89 (1972).

[71] Rottmann, G. F.: Die vorgeburtliche Mutter-Kind-Beziehung. Dissertation, Universität Salzburg 1972.

[72] Russel, M. J.: Human olfactory communication. Nature 260, 520–522 (1976).

[73] Selg, H.: Über Gestaltdarstellungen in Massenmedien der BPS, H.3 Bonn-Bad Godesberg 1972.

[74] Skynner, R.: Die Familie. Schicksal und Chance. 1978.

[75] Sonnewend, S.: Auswirkungen der prä-, peri- und postnatalen Belastungsfaktoren auf die Einstellung der Mutter und auf die Entwicklung des Kindes. Unveröffentlichte Diplomarbeit, Marburg 1977.

[76] Steinhausen, H. Chr.: Psychologische Aspekte der Neonatologie. In: Zur Entwicklung von Frühgeborenen. Mschr. Kinderheilk. 124, 570–576 (1976).

[77] Schetelig, H.: Modellprojekt „Tagesmutter". Kinderarzt 7, 1147–1152 (1976).

[78] – „Tagesmutter" – ein erfolgreiches Erziehungsmodell? Fortschr. Med. 95, 437–440 (1977).

[79] – Die Bedeutung des Stillens in der Ernährung des Säuglings. Fortschr. Med. 97, 349–352 (1979).

[79a] – Früher Mutter-Kind-Kontakt und Stillen. Dissertation, Köln 1981.

[80] Schmidt, E.: Die Ernährung des jungen Säuglings. Med. Klin. 68, 1345–1353 (1973).

[81] Toman, W.: Familienkonstellationen. München 1965.

[82] Trobisch, I.: Mit Freuden Frau sein, und was der Mann dazu tun kann. Brockhaus Verlag, Wuppertal 1974.

[83] Truckenbrodt, H.; Windorfer, A.: Gefährdung von Kind und Familie durch Zivilisation und Wohlstand. Fortschr. Med. 97, 295 (1979).

[84] Undeutsch, U.: Gutachten über „Schweinchen Dick". In: Silbermann, A.; Heinrichs, H.; Liebert, R. M.; Hellbrügge, Th.; Undeutsch, U.: Aggression u. Fernsehen. Katzmann Vlg., Tübingen 1974.

[85] Weber, A.; Blass, J.; Elisabeth wird gesund. Union Verlag Stuttgart 1972.

[86] Winnicott, D. W.: Kind, Familie und Umwelt. Reinhardt Verlag, München/Basel 1969.

[87] Wolff, E.; Ritter, S.: Rooming-in auf der Wochenstation. Fortschr. Med. 95, 2319–2322 (1977).

[88] Zglinicki, F. v.: Die Wiege. Pustet Verlag, Regensburg 1979.